辛丰年文集 卷六

乱谈琴

辛丰年 著

严锋 编

SMPH
上海音乐出版社

出 版 说 明

辛丰年（1923—2013），本名严格，江苏南通人。1945年开始在新四军从事文化工作，1976年退休。20世纪80年代以来，辛丰年为《读书》《音乐爱好者》《万象》等杂志撰写音乐随笔，驰誉书林乐界。著有《乐迷闲话》《如是我闻》等书十余种。先生早年因投笔从戎，未能完成初中学业，后读书自学成癖，并迷上音乐，晚年转向文史阅读。终其一生，辛丰年是一个彻底的理想主义者，一个纯粹的人文主义者，一个真理与美的追求者。

2018年，上海音乐出版社成功出版"辛丰年音乐文集"六种。时隔五年，适逢先生百年诞辰，本社以音乐文集为基础，再收入辛丰年信札、随笔合集一种和译作一种，总计八种。

音乐美好，人生美好。纪念先生美好而正直的一生。

上海音乐出版社有限公司

2023年7月

像音乐一样美好

无论在他生前身后，我想到父亲的时候，最常有的感觉是惊奇：世上怎么会有这样的人，世上竟还有这样的人。我不是感叹他的学问有多好，文章写得有多好，而是惊讶还有这么好的人。

我当然知道，作为一个儿子，用"好人"来形容自己的父亲，这没有什么意义，在今天更是如此。在一个假道德、非道德、反道德、后道德混杂的时代，对道德的冷感和犬儒态度是可以理解的。但是，我对道德理想主义依然抱有信念，因为我身边确实有一个真实的例证。

这不仅是我个人的看法，也是接触过他的所有人的印象。中国人有替他人扬善隐恶的习惯，通常对文化老人会有溢美之词，但是我看别人写他的文章，深知对他的所有美好回忆都是真的，而且只是沧海一粟。

惊讶之余，必有疑惑。我常常想，他那样的人究竟是怎样炼成的。是父母教的吗？好像不是。他的母亲很早就去世，他的父亲是一个威严而粗暴的小军阀，民国时代做过上海警备司令兼上海警察厅长和上海卫生厅长——我小时心目中标准的"坏人"。是学校教的吗？他初二就肄业了，其后全靠自学。

那么是另一个巨大的熔炉吗？他确实像同时代的许多青年，响应了时代的强烈呼唤。对于家族，父亲有一种根深蒂固的羞耻感和赎罪心，这种原罪的意识，从20世纪40年代接触革命思想，到"文革"中的吃尽苦头，一直到发家致富光荣的改革开放的今天，他从来没有改变过。

还有家国之耻。父亲说，他当年跑到解放区，是因为家不远处和平桥就是日本宪兵队，每次经过那里都要向日本人鞠躬，感觉非常屈辱。他总是绕道跃龙桥，避开日本人。他也不喜欢蒋介石，因为常去邹韬奋的生活书店看进步书籍，特别在青年会图书馆（在大世界隔壁）看了华岗的《1925—1927中国大革命史》，痛恨蒋的屠杀，从此对国民党幻灭。

但是最直接的动因，是一本叫《罪与罚》的小说，作者陀思妥耶夫斯基。2010年的时候父亲有一天打电话说他把这本书的英文版又看了一遍。他还告诉我，当年他投身新四军，最初不是因为读了马克思的书，而是因为震撼于《罪与罚》呈现的罪孽。无论如何，推动父亲一路走来的是一种对人间的绝对正义的追求，一种刻骨铭心的悲天悯人的情怀。他是一个无可救药的人道主义者。

还有音乐，终生自学，终生挚爱。战争年代，父亲在部队所到之处，会寻访当地音乐人，向他们请教和借乐谱抄写。在他的行军背包中，还放着德沃夏克《自新大陆交响曲》的总谱。原江苏文联秘书长章品镇先生是他的革命引路人，1945年他们一同从上海坐船到苏中分区参加新四军。两人相约仿效巴托克，随军每到一处，即以纸笔记录当地民歌。我曾见他们在异地交流采风的信件。对于他们那一代的文艺青年来说，革命是最浪漫的诗篇；对父亲来说，革命是最宏伟的交响乐章。

　　雨果在《九三年》中说："在绝对正确的革命之上，还有一个绝对正确的人道主义。"我父亲的一生，实践的就是雨果的这句名言，并且再加一句：在这两者之上，还有一个绝对美好的音乐。

严　锋

目　录

前　言

少年时听音乐如东风之过马耳。从二十岁起，乐盲一下子成了乐迷，越来越迷，虽说只满足于站在象牙塔的高门槛之外，做一个窃听者。

事情是从无意中读了一篇贝多芬月夜漫游为盲女在破钢琴上即兴创作、弹奏《月光曲》的故事引发的。因此我也就执迷不醒地做了几十年的"钢琴梦"。

李白有句诗："处世若大梦"。像许多"难友"一样，本人也未能逃过一场梦魇，那恶梦的惨苦是绝未预想到的。更没想到能从其中走了出来，尤其没想到，忧患余生竟有美事：我圆了"钢琴梦"。

1995 年写这本小书，正是我躲进小楼埋头乱弹琴之时，弹得如痴如醉，忘了时间，忘了煤球炉上的饭锅，焦味扑鼻，救已无及。乱弹琴，我不怕别人笑话，只怕邻居叫骂，因为萧伯纳就是这样弹而且成了乐评家，我不想当乐评家，更不想当演奏家，只求自得其乐。

前此几十年中，虽是只能在钢琴入梦时才能享受它，但也到处留心有关的资料，看了不少洋文的。咬牙订购那部二十大厚册的《格罗夫音乐与音乐家大辞典》，首先就为了其中介绍钢琴的资料，有人说是"最详尽的"（其实不然，读了仍然不过瘾）。"乱弹"之余，兴奋之极，便想将自己腹笥中收罗的那些信息同别人共享。但我并不想冒充内行，所以用了个"乱谈琴"的书名。本来名副其实，可惜老版没采用。

一弹指间又沧桑，造化弄人，不许我多享"乱弹"之乐。帕金森病害得我双手报废，写字、拿筷子都手不从心，遑论弹琴。辛辛苦苦花了几年功夫练出来的百来篇小品（还包括"月光曲"的前两个乐章），全都一江春水付东流！

《一千零一夜》中有一篇故事，构思绝妙，讲一个老实人被并无恶意的王子捉弄，让他接连地处于困境与好运之中，叫他疑心自己是在不停地做美梦或恶梦。几十年前，有一位笔名奚若者用文言译的《天方夜谭》译文别有风味。这篇的题目是《非梦记》。

现在，有机会为这本《乱谈》正名，固然聊可自慰，但重读其中有些难逃似是而非之讥的议论，我倒又想把书名改成"钢琴梦呓"了。

2007 年 10 月

钢琴赞

这本小小的书可以说是一部钢琴小传吧。太史公为古人作传，传在前，赞在后。我为我所爱的钢琴写传，禁不住要先来一篇赞。

音乐史中应该有"钢琴世家"或"列传"，那当然是无须说得的。但这还不足以说明它的重要。我认为，在人类文明史上，钢琴这样一件事物的出现及其影响，也应该特书一笔。

钢琴有什么好？

在所有的人造乐器中，钢琴最像机器。它简直就是一种机器，人用手与足操作的机器。其尊容谈不上优美，故此画家们很少让它入画（可举的名作似乎只有雷诺阿的《双美抚琴图》[1]）。然而人机结合，人机知遇，它忽地通灵了！弹贝多芬，如哲人之深思雄辩；弹肖邦，如吟诗；弹德彪西，又如作画。

1　现多译为《弹钢琴的少女》。

这又哪里是机器里发出来的声音！它竟一身而兼有诗人、画人、哲人、鼓动家的功能。尼采、托尔斯泰、萨蒂、阿道尔诺们爱之，弹之，当然不是没缘故的了。

想想看吧，假如世界上没有钢琴，我们也就没有莫扎特的二十七部钢琴协奏曲了；也就没有贝多芬的三十二部奏鸣曲了；没有肖邦的那些"钢琴诗"了；德彪西的"钢琴画"也就不可得而赏了。那人间将是何等的荒凉、寂寞！

历三百年而不衰的钢琴，是不是一件尽善尽美的乐器？

它不但有缺陷，而且是不小的缺陷。

哈洛德·鲍尔说它是"所有乐器中表现力最小的。弹出一音后，不可能再对这个音响加以修饰、修改，只能对其长度作适当的控制，但也不可能无限度地延长"。

这大概要算是对这乐器最苛刻无情的评价了。然而他却是一位钢琴演奏名手。半个多世纪之前，笔者为丰子恺复述的月光曲故事所迷，决心听个究竟。当时就从两张歌林老式唱片上听此曲，开了蒙，从此也一发而不可收拾地开始了乐迷生涯。那弹奏者正是鲍尔。直至如今还不免以他的演绎为尺度去听他人的处理。他是我不见面的启蒙者！

也有人提出，钢琴的音色比起其他许多乐器来平淡无奇。此话有理。假如同管弦乐队中的绝色相比，钢琴自惭没有那种令人一见倾心的魅力。竖琴，何其华丽！钢片琴的音色乍听有如天外仙音！还有单簧管、双簧管、圆号等等，也是配器家调色板上的重要颜料，吉他的音色也有胜于钢琴。

奇妙的是这其中有个带点哲理味的现象。令人一见倾心的一些乐器反而多听必腻。音色越是艳丽（如竖琴）的，也越叫人腻味得快，而姿色貌似平凡的钢琴反而是不会令人生厌的。波兰出生的琴人霍夫曼在其《论钢琴演奏》中如是说："它之所以被认为是最高雅的乐器，是否正因其不太感人呢？""这种高雅使它最为耐听。"

前文中那位说它的声音平淡无奇的乐人，却又说它是一种可以使人想像出其他音色的乐器。这一点不应夸张，但也并不玄虚。这正是钢琴上可以把乐队改编曲弹出管弦乐队效果的一个原因。《卡门》作曲者比才特别擅弹管弦乐总谱（即视奏总谱，弹出浓缩的管弦乐曲），听者觉得他指下发出了逼似管弦乐器之声。

奏鸣曲，有人曾译之为"独响乐"。其实正如别人说过的：钢琴奏鸣曲，就是钢琴上的交响乐。妙绝！这话一语道出了钢琴的"特异功能"！除了钢琴，还有哪种乐器能独奏一部交响乐的？（管风琴上的"交响乐"是单调乏味的。）

钢琴是全功能的，旋律、和声、对位，它全包了。异常复杂的多声部进行与织体，它也可以做出来。有位钢琴家说得好：它不是一件乐器，它是几十件。它那八十八键的广大音域差不多就等于管弦乐队中从低音提琴到短笛的全部音域。一架小钢琴俨然是一支大乐队。钢琴家"指挥"这支"乐队"，比一个乐队指挥更要来得指挥如意、得心应手。

同人声相比，金属弦上叩击出的音响，照常理说似乎是比"丝不如竹，竹不如肉"更不如了，但钢琴音乐中有许多"如歌"的名篇，如莫扎特钢琴协奏曲第二十一首（K.467）的慢乐章，如贝多芬《悲怆奏鸣曲》中的"柔板"，如肖邦的《降E大调夜曲》，这许多熨人肺腑的音乐，听着只当是在听一个歌手的吟唱，全忘却了那是从一架钢筋铁骨的机器中来的。

何况，钢琴音乐也不以"如歌"为极致，为尽其能事。须知音乐中不是只有"如歌"，也还有"如话如语""如踊如舞"，即以"如歌"而论，也还有各种情绪之歌，这种种，钢琴都可以表达。

还可以申论的是，钢琴也并非为了要同人的歌喉或别的乐器争一日之短长而创造的，它并不以模仿其他人之声为高，而毋宁是为了补他人之不足。凡深谙其本性的大师，如莫扎特、贝多芬、肖邦、德彪西等，他们为它谱出的最能发挥其特色的音乐，也便是真正钢琴化了的钢琴音乐，那种效果是其他各种乐器所不可替代的。就连集管弦乐器之大成的交响乐队也不可能。此其所以将管弦乐曲"译"为钢琴曲，同原作比，当然有所失；反过来将钢琴化的作品"译"成乐队曲，往往所失更大。像莫扎特、贝多芬与肖邦的许多作品是不宜改为乐队曲的。名指挥魏因加特纳出于好心"译述"贝多芬的作品106号，不但劳而无功，反遭时人诟病。肖邦之作，竟是不可

"译"，一译便俗，例如其《升 c 小调幻想即兴曲》。

这样一种无法替代的原版、原味，当然说明了它的独特价值，但同样了不起的是，它又是一架艺术翻译机。

从各种别的乐器的独奏曲、独唱曲、合唱曲（连同伴奏部分一并代劳），到规模宏大的交响音乐，统统不难"译"为"钢琴版"。这种移译功能对 19 世纪以来交响音乐之大普及，发挥了莫大的作用。倘无印刷术，莎剧难以普及；倘无钢琴，歌剧与交响音乐也难以为广大爱乐者所尽情享用。

19 世纪的人还没有唱片、录音机好利用，如果不是钢琴，许多人将成为对名作无知的人。

乐器之王的诞生，自然是十八、十九世纪音乐文化大潮的"时势造英雄"，它是顺天应人应运而生的；然而"英雄又造时势"，对音乐大潮有推波助澜之功。厥功甚伟！

它一来到人间，便通过制作者与作曲家、演奏者、巧匠与巨匠们之间的互相促进，以日新月异之势不断完善，终乃成为作曲家、演奏家们的喉舌。

萧伯纳盛赞印刷术普及莎剧有功。仿此，可以说，缺了钢琴这位要角，19 世纪西方音乐文化之轰轰烈烈的局面也难以想像吧？

学习音乐的人离不开它。它不仅是学习和声、作曲的助手，又是分析作品的释读工具。作曲家与键盘已不可须臾离（除了绝无仅有的例子——柏辽兹）。莫扎特初到巴黎，肖邦去马约卡旅游，身边无琴，害得他们难以作曲。其他各种乐器如小提琴等，常常需要它的合作，因为这些乐器只能奏光秃秃的旋律。众多的爱好者离开了它也就无从在自己家里咀嚼音乐粮食了。

它又像药里的甘草，同人声、同各种乐器都处得来，或为之伴奏，或与之相和。在一架琴上，既可以独弄，又可以几人联弹。

作为专业用，它的技艺与表现能力是无止境的；当作普及性的乐器，它既可个人自娱，又可与友朋同乐。正因其如此有用，可喜，于是从教室到音乐会，从歌剧舞剧排练场到沙龙，它无所不在，普受欢迎。泰坦尼克邮轮上、兴登堡号飞艇上也少不了它。甚至战地上也有它的声音回响（有专供军人使用的特别坚牢的钢琴）。呜呼，可谓盛矣！

"众器之中，琴德最优"，是中国古人嵇康赞七弦琴的话。借此语赠给钢琴，也当之无愧。

钢琴三百年，前一百年是它成长、奋斗，与古钢琴共处、竞争的百年。中间百年是它优胜，夺魁的盛世。近百年虽有人厌其泛滥成灾，怨声四起，且又逢新的劲敌当前——留声机、广播、电子琴等等，然而乐器之王的声威犹在，并不见有下世的光景。尤其在中华，钢琴热大有愈演愈烈之势。成千上万的琴童，放弃了童年的欢乐，埋头在键盘上苦修苦练。有多少琴童在学琴，也就有多少父母在陪学陪练，同做钢琴梦。

遗憾的是，琴童的父母们自己并不是钢琴爱好者。似乎也很少见到有成年人识得钢琴的真价值，迷上它，用它来开拓自己听乐的境界。这又是钢琴的遗憾了！有感于此，从年轻时便时常梦见当时可望不可及的钢琴的笔者，不惮自己的浅陋，也甘冒为钢琴商当推销员之嫌，愿为钢琴鼓吹，期望爱乐而尚未深知琴趣的朋友们，爱上它，迷上它，享受它；如此，也便实现了笔者宣传严肃音乐的本愿。

古钢琴的回忆

　　钢琴是在古钢琴的盛世出台的，也是在反复较量之中完善了自身，赛倒了对手的。要知钢琴，不可不知其前辈与对手。

　　一说到古钢琴，首先有正名的必要。只看中译名，望文生义，很可能误以为它同钢琴之间有什么继承关系，其实所谓古钢琴，原名中并无"古"的含义。

　　还有个含混不清之处，一般笼统称之为古钢琴的，实有两类，所以要弄清其分别，不可混为一谈。

　　一类是拨弦古钢琴（Harpsichord），另一类是击弦古钢琴（Clavichord）。从原名上可以看到，它们跟钢琴（Pianoforte）是三个名称三种乐器。通常说的古钢琴，主要是指前一种拨弦古钢琴，又称羽管键琴。有些人又将后一种直呼为"古钢琴"。

　　说来它们也真可以算得上古了。试想，当钢琴在距今约三百年前呱呱堕地之际，它的前辈也已经有三百年的历史了。

那年间，尤其是巴洛克时期，拨弦古钢琴之受到重用，犹如 19 世纪的钢琴。从有些方面来说，甚至比钢琴还要吃香。比方说，在现代管弦乐队的常规编制中不一定有钢琴，但在古时的乐队与室内乐中，拨弦古钢琴却是不可缺少的一名成员，而且地位很重要。坐在古钢琴前面弹奏着的人，起着领头演奏的作用。在歌剧演出中，也需要它伴奏宣叙调。此风一直延续到莫扎特时期。正因此，若干年前慕尼黑歌剧院来中国演出歌剧《费加罗的婚礼》，我们有了见识一下古钢琴的眼福与耳福。后来又来了哥龙古乐团，还有古钢琴独奏家访华，也是我们熟悉古钢琴的好机会。

古钢琴三到中华

然而这又并非古钢琴初到中华，而是近三百年中的第三回了。第一回是在明朝万历年间，古钢琴是跟着利玛窦等天主教传教士们来的。这乐器还被献给了皇上，进了明宫。皇帝叫几个小太监跟着教士学习弹奏，在举行拜师之礼的同时也向乐器行了礼（见《利玛窦中国札记》，中译本第四卷十二章）。有的古钢琴收藏在北京的天主堂里。晚明竟陵派文人刘同人在他所著的《帝京景物略》中提到它，称之为"铁线琴"。

这第一次入华的，据考是击弦古钢琴（也许是因为这种古钢琴比较小，便于携带）。中国人再次接触的才是拨弦古钢琴。这已经到了清朝的康熙在位的时候。康熙帝是颇留心于西

方学术文化的。从记载可以知道，他听过西方教士的演奏。经
过好几个朝代之后，在冷宫的库房里发现了一些古钢琴遗骸，
都已经成了废铜烂铁，则又不言而喻地说明了它们的遭遇！

两类古钢琴

那么，两类古钢琴到底有何不同？这倒又不妨顾名思义
了。拨弦古钢琴的外观同现代平台大钢琴没有多少差别，但其
发声方法和现代钢琴大不相同。它的每一个键子的后面联接着
一个拨子。一按下键子，拨子便拨响了琴弦。拨子有用皮革做
的，也有用鸟羽之管的，所以也有人将这种古钢琴的名称译为
"羽管键琴"。正由于是拨弦发声，触键的轻重难以控制拨弦的
轻重，弹起来便只能大致上是一种力度，做不出灵活细致的变
化了。试听古钢琴音乐，一个最明显的印象就是这种力度变化
的呆板单调。相形之下，也就更可以感觉到现代钢琴的力度变
化多么灵活而且层次丰富。即从这一点也便可以体会到，现代
钢琴与古钢琴的竞争为何以后者之败退告终了。

古钢琴的弱点还不止这一点。它的声音不够响，在音乐厅
里如果不用扩音装置，就无法同别的乐器取得平衡。它的余韵
之短促也是一大缺点。所以在古钢琴曲中那些需要拖长的音不
得不乞怜于各种装饰音。

还有音色的问题。如今人们从录音当中听一曲古钢琴音
乐，比方说巴赫的《十二平均律钢琴曲集》中的第一首《前奏

曲》，会觉得其声优雅幽远、古色古香吧？其实古时候这乐器所发出的声音，同经过电子处理的唱片录音里的音响是有距离的。用拨子拨弦发声，音质不免粗糙，而且无可避免地会夹带上一点噪声。古人听得惯了，习以为常，待到现代钢琴露了头角，有了比较，许多人对这种有缺陷的声音也就不大耐烦了。

不管怎么说，古钢琴雄踞乐坛几百年，音乐演奏活动中竟缺它不得。我们知道，在巴洛克与其以前时期，合奏乐中的和声并不全部写出来，而是在乐谱的低音部分标上数字，由古钢琴演奏者按规定程式奏出和弦与音型，填进整个乐曲的织体中去。这叫作"数字低音"。那时的合奏音乐从头到尾都有这连续不断的低音。故又名"通奏低音"。如何照着古谱来弹奏这种东西，是今人演奏巴洛克音乐时要解决的难题之一。

现在且再来看古钢琴的另一种，击弦古钢琴（又译楔槌键琴）。这种乐器的发声机制却同现代钢琴有相似之处。它是用琴键后端的一个金属块敲击琴弦发声的，声音比拨弦古钢琴还要轻，更不适合在大庭广众间演奏了。然而这种乐器的音响别有风味，优雅可喜，胜过拨弦古钢琴。尤其奇妙、为今人所想不到的是，它的音响不仅可以改变强弱，还可以使已奏响的一个音在音高上发生一点变化。原来，当你按下琴键时，键子一端的小金属块击弦之后便继续留在弦上不动。这时，制音器捂住弦的一部分，让金属块以下的那部分自由振动。你如果稍稍加强指尖的压力，那个音的音高便稍稍升高了。这好像我们弹中国的筝时，左手按弦使其发音升高一样。既然这样，弹击弦古钢琴时也就可以在琴键上"揉指"，弄出像小提琴上的那种效果了，而这种独特的效果在现代钢琴或其他键盘乐器上是根本办不到的。

击弦古钢琴音色美，反应灵敏，又有这种独特效果，所以它能比较细腻地表情。巴赫一生中写了大量的古钢琴音乐，据他的儿子说，他最赏识的就是击弦古钢琴。（费解的是，他身后遗物中有几架拨弦古钢琴，而并无此物，遗言中也未提及，因而也有人怀疑此说。）那套号称钢琴文献中"旧约圣经"的《十二平均律钢琴曲集》，肯定是为古钢琴写的。但究竟是为哪一种古钢琴而作，也有不同看法。他不会为他并不满意的新兴乐器现代钢琴写这些乐曲，则是不难推知的。故此，他这部杰作虽然已经约定俗成地被译为"平均律钢琴曲集"，还不如把钢琴二字去掉或加上个古字更为妥当。

难兄难弟的这两种古乐器，外貌大不相似。不妨说，从始祖克里斯托弗里开始，平台钢琴的外形是沿袭了拨弦古钢琴的形象。击弦古钢琴则是小个子，一个长方匣子般的乐器。虽也有大型的，一般却都是小型的。有的可放在案头，有的可携之旅游。大型长方形击弦古钢琴在外形上也有继承者，便是后来一度颇受欢迎的方型钢琴与柜形琴。

从前的便携式击弦古钢琴，看上去简直像个玩具，也叫人想到今天的小电子琴。它却是古时候比较普及的家庭乐器。莫扎特在一封家书中特地关照老父，把自己心爱的小击弦古钢琴放在他住的房间里。

至于卢梭的室内摆着的一架斯比奈（Spmet），狄德罗写信托人买的一架浮吉那尔（Virehlal），那都属于拨弦古钢琴的轻便型，也是古时相当流行的键盘乐器。

古钢琴往矣！但人们可别忘了，自从文艺复兴之后，直到 19 世纪之初，英国伊丽莎白女王、普鲁士腓德烈大帝[1]、俄国凯塞林女皇们的宫廷中，荡漾着古钢琴的声音，而其小型轻便型的变种也普及于民间。只是从贝多芬时起，古钢琴才不时兴了。浪漫派乐人对它简直不屑一顾。据说，舒曼夫人克拉拉、钢琴家兼指挥家比洛、鲁宾斯坦这些演奏大师竟从未听到过击弦古钢琴。广大爱乐者更是不知其为何物了。古钢琴之被置之脑后，也是同巴赫等巴洛克大师曾被人遗忘这件事相联系的。19 世纪中叶以来，巴洛克音乐的还潮带起了古钢琴的复出。人们向往古音古调，喜欢用古乐器演奏古乐，以还其本来面目。有多尔梅兹其人，是振兴古乐器的热心人，不但精研古钢琴的弹奏技巧，还精心仿制了一批古钢琴，保留传统特色而又改善其性能。他监制的一种豪华型古钢琴，声音比巴赫时代的还要好些，据云其音可以像钢琴那样延长。本世纪初又出现了古钢琴演奏名手兰多斯卡女士。

1 Friedrich the Great，现在通常译为腓特烈大帝。

在 1889 年的巴黎博览会上，老牌钢琴厂家普来叶尔与埃拉尔两家都拿出了各自生产的古钢琴。同时，名手迪埃莫献演了一系列古钢琴名作。

古钢琴也现代化了，有的有七个踏板，可以扩大音域，改变音色。有的上面装了用以调音的微调器。

作曲家也对它刮目相看了。西班牙作曲家法亚，特为拨弦古钢琴作了一首协奏曲。

的确，听古钢琴上的巴赫，其味与钢琴不同，这是"原味"！ 30 年代便有一种巴赫《十二平均律钢琴曲集》的唱片，是一种"只向'48'协会成员提供的限定版"。这套老唱片便是用古钢琴演绎的。《勃兰登堡协奏曲》是巴赫的重要作品，其中的第五首里有一大段拨弦古钢琴的独奏，酣畅至极，从中可以领略一下这种古乐器的特色。不过听惯钢琴的我们，似乎也不免为它的演奏者感到有点吃力吧！

钢琴三百年

钢琴三百年，是从 1709 年算起的。在西方是英法诸强争霸的时代，在中华是清朝康熙四十八年。

这一年，意大利人巴托罗缪·克里斯托弗里（1655—1731）制成了世界上第一架钢琴，一架同先前的老式键盘乐器大不相同的乐器，虽则它在外貌上同拨弦古钢琴一模一样。

它的最重要的特点在于，弹起来可以控制音响的强弱，要轻便轻，要重便重。也正因如此，它便得了个"轻重琴"的名称。大家都知道，钢琴的西名通称 Pianoforte，此词中，前半的 piano 即意大利文"轻"的意思，后半的 forte 是"重"的意思（这里的轻与重指声音的弱与强）。你可以在乐谱中看到许许多多"*p*"与"*f*"，那便是此二词的缩略语。但钢琴一词也可以倒过来，叫作"重轻琴"（Fortepiano），那是俄国及某些国家的习惯。（不过在以往也曾流行过名实相符的"重轻琴"。那音响是自有其特色的。海顿的奏鸣曲集和有一种莫扎特的钢琴四重奏的唱片便使用了此种钢琴。)

初生之犊

有的乐史家说，钢琴这乐器是在世界还没准备好的情况下出台的。这就要看你从什么角度看问题。如果从炼钢之类工业生产制造水平来看，不无道理。这只消看初出茅庐的钢琴，由于没用铸铁的弦框（而用了木质的），也无特殊的琴弦钢作琴弦（而是用铜或铁质的）等等局限，因而其声音的响度与音质不能令演奏者和听众满意，而19世纪的钢琴制造之进步，显然离不开当时的工业文明，便可理解了。

那么是听众的耳朵也没准备好？这也不无道理。人们听古钢琴已听了三个世纪，忽然要他们接受一种同古钢琴不相似的新声，不顺耳是不足为怪的。然而从作曲和演奏那两方面来看，钢琴问世的原因就并非克里斯托弗里等人忽发奇想而标新立异了。

同那位"钢琴之父"是同代人的弗朗索瓦·库普兰，是一位古钢琴的作曲与演奏大师。他总觉得两种古钢琴（即拨弦古钢琴与击弦古钢琴，详见本书中"古钢琴"一章）各有短长，都不如意。他想，假如有那么一种键盘乐器，兼此二者之长而又避其所短，那才理想。

当时耳目闭塞，信息难通，这位法兰西的音乐权威竟不晓得，就在阿尔卑斯山南方，已经出现了他所企求的新乐器。如此说来，钢琴毕竟还是音乐文化发展过程所孕育所催生的一个产儿。

"未准备好"倒可用以解释钢琴在它的未成年期经历的艰辛。它还胎毛未褪，毛病不少。巴赫在前后二十年中曾两次应邀对这种新乐器作鉴定性试奏，对它并不怎么满意（请看后文）。直到1750年之际，有一架钢琴被舶运到了英伦。它是由一位伍德神父监制的。英国名人伯尔尼（作曲家、史学家、风琴家，广游欧陆，写了大量有史料价值的音乐报道），对这乐器的观感是："其声胜于拨弦古钢琴，强弱变化，层次分明。在此琴上弹奏亨德尔的《死亡进行曲》与其他庄严悲怆之曲，如能弹得有感情，有情趣，颇能激起一种惊喜之情。可惜的是，任何快速的乐曲都无法演奏"，云云。这是一篇具体切实的报道，当时的钢琴性能上的优劣之处都说清楚了。

颇有点像那时代欧洲诸国的互争雄长，钢琴同古钢琴曾共处一个多世纪之久，当然并非什么和平共处，是用了百多年功夫，钢琴才最终将它的老前辈从音乐舞台上挤了下去的。

一种相当有趣的现象：当那双雄并立之际，许多作曲家在他们写键盘乐曲的时候，并不规定用何种乐器弹奏其所作。这也便是从海顿、莫扎特到贝多芬创作初期的古典派时期的事。海顿的奏鸣曲等固然有很多本来是为拨弦古钢琴而作，莫扎特前期的键盘音乐作品，也是可以在古钢琴与钢琴中任择其一来用的。直到贝多芬青年时代，这种可以兼容互易的局面也没起多大变化。说具体些，比方贝多芬的《月光奏鸣曲》，原来也并不限定要用钢琴，而也不妨在拨弦古钢琴上弹的。

但是，也便在这时，一种微妙的变动出现了。贝多芬毕生写了三十二部钢琴奏鸣曲。到其中的第九、十首为止，当时出版的乐谱上标着"为拨弦古钢琴或钢琴而作"。但从第十一首起到第十四首（也即所谓"月光曲"），谱上所标的却是"为钢琴或拨弦古钢琴"了。这次序的不同，难道是无足轻重的改变？

孰主孰从，这变化正意味着竞争中的优进劣退。据记载，当时的人议论道：当人们愈来愈喜欢钢琴的时候，也便越发不耐听拨弦古钢琴那过时的声音了。

霸权易手的过程，也并非简单的直线发展。像那个同莫扎特交过手的克莱门蒂，是钢琴音乐与演奏史上的重要角色。当他去欧洲各地作旅行演奏时，钢琴厂家从巴黎运去两件他需要的乐器，一架自然是钢琴，但还有一架拨弦古钢琴。又如莫扎特，他的二十七部钢琴协奏曲，绝大部分是特为钢琴而谱，且由他本人在钢琴键盘上向听众"发表"的。这个新兴的乐器比古钢琴更合他的心意，更适合做他的发表工具。而这许多协奏曲，在其短促一生的作品中位置之重要并不亚于他写的歌剧与交响乐，反过来又成了钢琴前程无量的绝好证明：尽管他那时所用的乐器的音域很有限，音量也不行，同现代的钢琴比起来像个小孩子！

取代古钢琴

大约从莫扎特晚期到 19 世纪浪漫主义时期，这百年间是钢琴的盛世。经过百年较量，古钢琴退居下风，钢琴荣登王座。李斯特不是有"钢琴之王"的尊号吗？这身份是和他手中的艺术新武器联系在一起而相辅相成的。在 19 世纪 20 年代之前，Recital（独奏音乐会）这新词是不大为人所知的。正因李斯特等人的钢琴独奏会，才有这种音乐表演的名与实。在此之前，古钢琴哪里担当得起这重任！李斯特之能开创这一新局面，正是证明了世间出现了这样一种可以独当一面的全能乐器，一种可与现代管弦乐队抗衡的乐器。

丑小鸭变成了天鹅

钢琴之所以能在竞争中取代它的前辈，不但因其性能上的特点，还因其一出世便开始了不断完善的过程。

先说说它音域的扩大。古钢琴的音域之窄是可怜的。所以，如果在现在的钢琴上弹巴赫、亨德尔等古人之作，用不到五组以外的高音和低音。钢琴之父手制的钢琴鼻祖，据说现在世界上只存三架。其中的一架只有四组音。另一架大一点，也不过四组半而已。到了莫扎特时代的钢琴，其音域同我们现在的幼儿园里用的风琴是一样的，即五组六十一键。

可是音乐艺术在大发展，怎能满足于这么狭小的空间，作曲者乐思的飞翔需要更宽广的天地。待到莫扎特去世的前一年，即 1790 年，钢琴键盘又开始生长，而且长得相当快。英国一家勃罗德伍德钢琴厂推出了五组半的琴。再过几年，六组的琴也出来了。虽说肖邦和李斯特他们在 19 世纪的初头还只好将就着弹弹这种音域的琴，但不久之后，六组半的琴也进入市场了。接着键盘又向着七组延伸，直至发育完满，成为七组又三分之一的八十八键，这就是今天钢琴的标准音域。这样一个范围，够作曲家和演奏家们驰骋了。须知，这已经同一支管弦乐队所拥有的音域旗鼓相当了。

固然，有限的音域对于莫扎特及其前人们来说不一定便是束缚，但对于"音乐的解放者"贝多芬来说，这却使他不能容忍。关于他这情况，且待后文细说，这里只举肖邦作品中一个小例子。他的《圆舞曲集》中的第二首，是 1838 年之作。此曲中有一处，据法国钢琴名手、也是肖邦作品演奏权威科托的看法，从曲中的上下文来分析，显然应该高八度，只是屈从于那时的钢琴的音域，才不得不尔。

再说音响的改善，这也是各种乐器生命攸关的问题。古钢琴的音量不够，又无法变化其力度。即使那种有双层键盘的（其功用之一即为了强弱的变化），也至多是在大段落之间形成对比，并不能在单个音上做出变化，分清抑扬顿挫，或做出各种层次的渐强渐弱的效果。前文已提过，钢琴的名称直译即是"轻重琴"，它恰恰就是针对其敌手的这一致命弱点，以其力度有明显而丰富的变化取胜。至于响度，虽然一开始也不行，但历经众多名工巧匠的苦心改进，声音越来越响亮，不像第一代时还不敌最好的拨弦古钢琴。而且那力度变化的性能也在不断提高，更灵活，更细腻了。

至于音质，它更使拨弦古钢琴相形见绌、自惭形秽！拨弦古钢琴靠鸟羽之管或皮革之类做的拨子在铁丝做的琴弦上弄出的声响，当时有人夸张地形容之为"拿把烤肉叉在鸟笼子上头刮"，这样的噪声同钢琴一比，自然更加不堪入耳了。

若问钢琴那独特优雅的音质又从何得来？这便关系到琴弦、琴槌等一系列问题，且等下文中的钢琴制造篇中再交代。

前一百五十年间大事记

现在，且让我们回过头来一瞥"钢琴春秋"中前一百五十年间的大事，从中可以略见人类为了延长自己的手而创造出来的这个通灵的"艺术机"艰难成长的光荣史：

1709 年：克里斯托弗里制成世界上第一架"能轻能重的键盘乐器"（四组）。

1720 年：克氏又完成一架钢琴的制作。此琴今藏纽约大都会博物馆（四组半）。本世纪 80 年代，钢琴名手霍洛维茨曾用此琴录了斯卡拉蒂的作品。

1726 年：又一架克氏琴制成，现藏莱比锡博物馆。（约在这一时期，德人昔伯曼也造了两架钢琴。曾请巴赫试弹，他认为键压力重，高音嫌弱。）

1747 年：巴赫访问普鲁士的腓德烈大帝，在波茨坦宫再一次试奏昔伯曼的钢琴。

1762 年：英国乐人伯尔尼报道了巴赫之子 J. C. 巴赫在英伦弹奏钢琴，人们喜欢这乐器。

1765 年：九岁的莫扎特在伦敦第一次见到了钢琴。

1767 年：英国乐人开始用钢琴为歌手伴奏。

1771 年：在本年前后，美国政治家汤·杰斐逊托人在伦敦买了一架钢琴，以代替原先订购的古钢琴。

1777 年：莫扎特在奥格斯堡试奏斯坦因新制的钢琴，感到满意。但埋怨其他匠人新制之琴弹起来时常卡壳。

1781 年：克莱门蒂旅行演奏，带钢琴、拨弦古钢琴各一架。

1790 年：英国勃罗德伍德厂推出了五组半的钢琴。

1800 年：在这前后，琴上黑白键的颜色起了变化，这之前与这之后，黑白键的颜色正好相反。

1808 年：法国人埃拉尔发明了复震奏装置，现代平台钢琴深受其赐。

1811 年：立式钢琴出现于市场。

1824 年：李斯特在巴黎用六组的钢琴演奏。

1825 年：铸铁弦框开始取代原先的木质弦框，是钢琴制造工艺的重大革新。

乘潮而上进入盛世

从此以后,钢琴便乘着 19 世纪音乐文化的大潮,一路顺风地前行。钢琴工业不断发展,市场兴旺,特别是美国开始自产钢琴以后,新大陆的钢琴制造业异军突起,加入了角逐,这钢琴市场也便更加热火朝天了。

在 19 世纪前五十年中,钢琴制造史上记下了数不清的专利申请,你创我变,精益求精。工艺也就在这激烈竞争中日新月异。有关这方面的许多情况,虽然从事钢琴制造的人们会感兴趣,我辈爱好者却可不求甚解。仅举一事以见一斑。今天的人如果打开琴盖,看到那琴弦的交叉排列,也许并不以为意,其实并非向来如此,而是煞费苦心的一宗创新。这是到了钢琴已近百岁之年才被一些发明者想出来的。原先,琴弦都是平行直排,占地方大;改为交叉斜排,既省地方又省工本,也更好地满足了不断增长的钢琴消费者的需要。

19 世纪中叶以前,装饰华美制作精工的平台大钢琴,是一种只有高门华族的客厅里才摆得下,也才配得上其身价的奢侈品。比方像舒伯特这种寒酸的乐人,自己买不起,只好到有琴的朋友家去借弹了。他曾去过的一家富贵人家却是四千金各用一琴!

随着钢琴工业生产规模之扩大,产量也便大增,尤其因为立式琴和各式各样小型琴之普及,这一乐器终于进入了寻常百姓家的千门万户。仕女习琴,为来宾们奏一曲,一献身手,也渐渐成了中上流社会的时尚。连卡尔·马克思，经济困窘到曾经打算迁居贫民窟的，从他的一封给恩格斯的信中可以看到，他也不得不为燕妮、劳拉二女学琴之事心烦（出不起学费）！

钢琴竟成了某种标志：显示教养，卖弄身份，摆社交排场的标志！当年，幽默大师萧伯纳在他的乐评文字《钢琴信仰》与《赋格曲》[1]中，对于弹琴不是出于自己喜爱，而是为了弹给同样对音乐无兴趣的别人听，以致弹者惝惝，听者昏昏，差点儿打起呼噜来等等庸人市侩相，辛辣地奚落了一番。

泛滥与庸化

这也就是说，高贵的钢琴，不仅普及而且泛滥了，也就无可避免地庸化了。很有意思的是，自然主义小说家左拉是最讲究写实的。在他那部名著《娜娜》里，写到粗俗不堪的金屋藏娇这一节，左拉没忘了为她安放一台立式钢琴。而不识钢琴音乐为何物的这位"优而娼"者，管它叫"五斗橱"！这一个值得注视的细节，出现在书中一次众嫖客聚宴的场面里。

19世纪末的古钢琴还潮复热，也动摇不了钢琴的阵地。然而，进入20世纪，真正的劲敌来了。首先有自动钢琴的挑战。这是一种从钢琴这"艺术机器"中异化出来的真正的机器了，下文有一节专门谈它。然后是留声机、无线电广播，接着

1　原文如此。根据三联书店2005年版《萧翁谈乐：萧伯纳音乐散文评论选》，此两篇文章名译为《钢琴的宗教》《过时的赋格》。

争夺市场的又有各种电子乐器,而老式的留声机、唱片也进化为立体声、高保真的一代新似一代的音响设备,那才是咄咄逼人的竞争对手!

钢琴的市场与群众受到了冲击。不过,钢琴倒也并未因为音乐消费方式的大变化而被淘汰,也未因诸多劲敌的围攻而衰微不振。近百年来,它当然再也不可能像上个世纪那样的风头独健了,但仍然在专业音乐人与业余爱好者两方面的圈子里受到器重。而且它那广泛存在无处不有的形象,也许是更为触目了。

你当然忘不了那泰坦尼克号冰海沉舟的大惨剧,也忘不了与大船共命运的那支乐队,然而你还应该知道,在那场惨剧的水上舞台上也有钢琴这个角色。从几年前一篇回顾性的报道中才知道,那座海上行宫里备有平台大钢琴五架之多!

镜头从海上切向空中,若干年后,又一条轰动全球的大新闻:纽约上空爆炸了兴登堡号大飞艇,在这条豪华飞艇的只容得下几百人的客舱内,一架平台大钢琴却也挤了进去!事虽点滴,不也可想见钢琴承二百载之余烈,雄风犹在?

钢琴的反对派

然而也正因其无处不在,也招来了反感,有不少人因为无所逃于钢琴的干扰而忿然诅咒之了。

自从 19 世纪末开始,人们便已听到对它的怨声了。

讨厌钢琴者有几种人。有些人是讨厌它变成了无聊的摆设，成了趣味低下的庸人市侩们的装潢。而为数最多的抗议者是因其制造噪声公害，令左邻右舍不得安宁。

琴音虽美，送到不爱乐的耳朵里就成了干扰。即便是对于爱乐者，也受不了隔壁传来的无休无止的音阶、八度等练习，于是乐音转化为噪声了。

李斯特开独奏会，听众神魂颠倒，如痴如醉。可是他住在魏玛的日子，却曾因违反了当地市政当局不得开窗弹奏的规章，遭到市民抗议。上文提及的萧伯纳，也因为他时常同姐姐起劲地弹四手联弹，引得房东发火。这两则是19世纪的旧话了。越到后来，繁殖愈甚的钢琴也便越发成了都市文明中一种不受欢迎的对象，纠纷的来源。在钢琴普及的东洋，对有琴的房客，房东要收更高的房租。还曾有邻人因不堪其扰而采取暴力手段，造成流血惨剧的新闻。正因此，有的介绍钢琴练习法的书中，特地介绍了怎样在琴上加上隔音、消音材料，以及自建隔音小琴房等等办法。

乐人中也有不满意它的。舍尔欣是德国的名指挥（他的夫人萧淑娴，是萧友梅的侄女）痛斥这个乐器，说它作为家用乐器，对音乐所起的破坏作用就像一种可怕的时疫！

另有一伙古怪的钢琴反对派。这些人恨的却是钢琴用十二平均律，其音不纯。当初巴赫之所以提倡推广十二平均律，是因为它可以让音乐在更宽广的范围里自由转调，这是近代音乐文化发展史上关系重大的变革。没想到，后来又有这些求纯者以此来否定钢琴！的确，有些人听觉特别敏锐，又听惯了应用非平均律的弦乐演奏，他们听钢琴上的音，会有不准的感觉，不大舒服。反之，听惯了钢琴的耳朵，再去听弦乐器的演奏，往往也会觉得有的音似乎不大准。以前，小提琴家约阿希姆曾遭人指摘其音准有问题，其实是他用了非平均律。

英国剑桥有些追求纯律者，曾发起要搞一种音律纯正的钢琴，让广大听众从广播中欣赏它。

到了1933年还有这样的音乐演出，海报上说：将演奏圣咏曲、田园曲，用三架按照纯律调音的钢琴演奏，美妙惊人！

实际上，任何号称音律纯正的乐器，只能做到在某一个调内保持其纯正，一转到另一个调上，有些音就不纯了，音乐会出现刺耳的怪音。这从反面证明了平均律之采用是合理的。

有趣的是，有纯律的卫道士，也有平均律的辩护士。1932年，有人向伦敦某区法庭控诉某音乐学校的主持者搞不清音准，因此没资格任教。起诉者即为一个"平均律协会"的名誉书记。对此，法庭当然只好不予受理。

除了求纯派，还有怀古派。他们怀念起古钢琴来了。古钢琴又热了起来，可能与此不无关系。

但更值得注意的，是不满于钢琴的现状而孜孜于革故创新的人们。

钢琴的改革者

人们已经司空见惯，也弹惯了钢琴上的键盘了。今天的各种电子乐器上，也仍然在沿用这种键盘。事实上，键盘这东西的历史比古钢琴还要来得古。早在中世纪的管风琴上便有它了。也正因其古，它却又成了一宗有问题的遗产。键盘起初是很简陋的。并不像现在这样的有黑有白，一组之中十二个半音。古代之乐简单，管风琴主要为人声伴奏，追随着人唱的曲调，键盘也无须多么复杂。但音乐在发展，键盘上的音不够用，只好随时添加些新的键子进去，将就着用。音乐越来越走到前面去了，而古老的键盘已成定局。这便使得键盘上的安排同我们的一双手不相适应了。要让手指适应不合理的键盘，弹琴者不得不在练习中付出更多的劳动。

钢琴的革新者要改造键盘，提出了多种方案。传统的键盘是一条直线，但弹奏时，双臂从中间朝两端移动的轨迹更近于一条弧线。因此有人设计了弧形的键盘。也有将键盘改成扇形排列的。

传统键盘上的音阶，是由左向右由低而高地排列的。但人的两手，指头排列是相反的。弹起音阶来两手的指法不一致，这也带来了麻烦。于是有人设计出二手分弹的两个键盘。在这两个键盘上，音阶的排列一正一反，这样好让两只手的指法一律，左右逢源，各得其所。

也用了双键盘而又与上述不同的一种设计是，上下两层互相对应的音相差七度，即是八度音程。于是原来弹起来很费劲的八度，到这种双键盘上只需一举指之劳，孩子的小手也不难弹了。

19 世纪的键盘改革中，最巧妙、也可行的，无疑要数杨柯设计的那一种了。这位杨柯是匈牙利人。他这发明曾经李斯特和鲁宾斯坦两巨头鉴定，他们点了头，认为可取。

杨柯的键盘完全抛开传统模式，另起炉灶。他把它布置成一个六层的阶梯。每一层的音都按全音阶排列，而不像传统的按十二个半音排列（全音阶中，每个音与其相邻的音之间，都是一个全音，故名。在德彪西的乐曲中可以听到用它写的曲调，例如《大海》）。每一奇数层都从 C 音开始，偶数层从升 C 开始，奇偶各层相错而排列。键狭而短，约抵传统琴键之半。又因为将原来的一字儿排列改为多层立体排列，变得非常紧凑，八度之类大音程，弹起来也非常方便。尤妙者，十二种大调音阶，指法都一样。十二种小调音阶也是一样的指法。只需练好两种指法，就可以弹所有大小调的音阶、琶音等等了，而在传统的键盘上，这种指法的不同练起来多麻烦！

种种改革方案只不过在钢琴史上记下了一笔而已。直到如今，学习钢琴的人还在同那个古老的传统键盘苦斗。世界上的一切钢琴厂，看来也无意于采用更科学更方便的杨柯式键盘，或其他各种好的方案。

钢琴上这种已成的定局之难望改变，也同乐谱改革的情况差不多。传统的五线谱虽然不大合理，但许多比它优越的记谱法并不能取而代之。如果舍旧而取新，带来的不习惯、混乱与经济上的损失等问题太多了。还是在古老的键盘上弹老调与新声吧！

钢琴的革新者并不仅仅在键盘上做文章。

它的声音也需要改良。声音不能任意延长，是它最大的弱点。有些人在这个难题上大动脑筋。有的设计是改锤击发声为以弓擦弦发声。然而这样一来，它便化为有键的提琴，钢琴也就不见了（其实这也是老调重弹。上个世纪早已有过让提琴键盘化的试验。那种乐器演奏时一手摇轮使之擦弦，另一手按键而奏）。这种取消钢琴特色的改革似乎是脱裤放屁。延长琴音还有一策：在琴上近弦的一端开一洞，让一股气流通过，以帮助琴弦继续维持其振动。

还有各种各样有趣的试验。有人想用音叉代琴弦。这样做，不会走音，自然也就省了调音的麻烦。但是，音叉之音虽然清纯，泛音却少，虽然因此可以作最佳的定音工具，但以这样的音色取代钢琴弦，反而使琴声变得贫乏无味。

钢琴的变种

以上种种都是在乐器本身上动手术。同这类改革似同而实异的新思维，乃是两个世纪之交涌现的一种钢琴变种——自动钢琴。

对于这个已为乐史陈迹、过大于功的发明，不免要稍微多絮烦几句。因为它是个饶有趣味的话题。

钢琴虽然像架机器，离开了人的一双手便成了死物；可是自动钢琴这个怪物却脱离了主人而独立了。从外表上看来，它保持着一台立式钢琴的模样；但因其肚皮里装了不少机栝，比一般的琴大些。那上面的键盘也仍可用手弹奏。

其实这种将乐器机械化、自动化的实践也由来已久了。自从中世纪以来便有了各种发明。从庞大的钟乐、机械风琴、奇妙的机器人管弦乐队（玛才尔[1]曾制作了这种令人惊讶的奇器。此人为贝多芬之友，节拍器也是他首先发明的。贝多芬《第八交响曲》中诙谐的第二乐章，带一点同他开玩笑的意思），直到小巧玲珑的八音盒，都是想要乐器自动为主人服务。自动钢琴无非是这类玩意的一个新发展。

19世纪末到20世纪初，首先出现的是一种弹琴机。它有一大排假指，将此机推到钢琴跟前，使其一指对一键，开动起来，它便在机器的控制下自动弹奏了。这也可以说是一个会弹琴的机器人。大钢琴家帕德雷夫斯基，即后来曾任波兰总理的，当年曾打电报到美国去订购了一架。

自动钢琴的自动控制，主要通过有孔纸带来实现。这种纸带上的孔眼是按照乐谱来安排的。当纸带在琴中通过时，有孔

1　Maelzel，现多译为梅尔策尔。

处便让高压气流吹过去带动机栝，促键叩弦。店家有制成的纸
卷供应，许多还是当年名手演奏的记录。其实，自动钢琴的这
种可以记录实际演奏的功能是更有价值的。因为，那时留声机
与唱片还颇粗糙简单，有些名手的演奏，幸有自动钢琴的纸卷
才得保存至今，供后人欣赏，成了珍贵的文献资料。德彪西、
理查德·施特劳斯[1]、马勒、格什温等人，都曾在自动钢琴上留
下他们弹奏的记录。英伦有一家音响博物馆里收藏着大量的自
动钢琴纸卷。

　　主编过《牛津音乐指南》的斯科尔斯，当年为这种纸卷撰
写了许多乐曲解说，又写了一本书叫《怎样利用自动钢琴纸卷
欣赏音乐》。

　　前些年还有件新闻同自动钢琴有关。据报导，新发行的一
张《蓝色狂想曲》的唱片，其中协奏者是现在的一支爵士乐
队，独奏钢琴的，却是已故多年的此曲作者格什温！那独奏部
分的音响便是利用了当年在自动钢琴上录下的纸卷。

　　人只有一双手十个指头，而且弹奏时也难十指齐下。自动
钢琴却不受此限制。哪怕是三十多个音组成的和弦，高、中、
低三个音区同时并奏，它都可以胜任愉快。现代乐人中有两位
大师是赏识这种机械乐器而用其所长的。斯特拉文斯基有一首
练习曲作品 7 号第一首便为它而作。一看那乐谱便知道为什么

1　Richard Georg Strauss，现在多译为理查·施特劳斯。

只能交给自动钢琴去弹了，那是记在五行谱上的，三行高音谱
表，两行低音谱。一般的钢琴谱只用两行。

质量很高的自动钢琴，对演奏的速度、力度等的调控可达
到相当精细的程度，复制真人的弹奏，几乎像照片一样可以
乱真。

然而，"机器不是人"。再好的自动钢琴（有的可以做出
十六种层次的力度变化）的演奏，同活生生的人的演奏相比，
终隔一层。因为，艺术性的演奏是一种变动不居的微妙的创
造，音乐如果机械化了，也便丧失了生气。至于质量差的机
器，加上制作不精的纸卷，那效果便是小说家毛姆在其短篇
小说《雨》中所形容的那样，是非常可憎的，只能令知音者
掩耳。

施纳贝尔这位贝多芬作品的演绎权威，很讨厌自动钢琴。
有一家琴厂请他在新产品上一试。他以这种机械不能再现演奏
者的演绎为理由拒绝。厂家声称，他们的产品可以将十六种不
同层次的强弱变化再现出来。施纳贝尔说："这已经晚了，不
久前我恰好做出了第十七种。"

自动钢琴虽然不无可取之处，决不能认为它是钢琴史上
的进步，实际上可以说是钢琴文化的退化。这东西之风靡一
时、一世，主要是利用了留声机、唱片还很幼稚，而人们的
音乐消费需求空前旺盛的时势。它既适合于口味不高的家庭
娱乐（不只可用来听，还可伴唱伴舞，又是玩具、摆设），也

可为酒吧、舞厅的老板效劳。这种机器"洋琴鬼"（旧时人们以此呼夜总会、跳舞厅里弹钢琴者）比活人好使唤，不怕它消极怠工。据1920年的统计，当时全美国的钢琴总产量三十六万四千台中，自动钢琴竟达七成！读《赤都心史》，可以看到在当时生活艰苦的莫斯科，瞿秋白也见过一架自动钢琴，意大利造的，琴中自动奏出了《蝴蝶夫人》选曲。

20世纪50年代，早已被唱片、广播挤出市场的自动钢琴，忽又一度死灰复燃，连早已靠边的旧机器也拿出来修修好出售了。

钢琴仍有生命力

曾经泛滥如洪水的电子乐器——电子风琴和电子钢琴，夺占了相当大的一部分钢琴市场。这类乐器，音响的力度不能由指触来变化，音质有虚假感，再配上机械的自动伴奏，都不能不使爱乐者反胃。电子钢琴轻便，利用耳机既可自练而不扰他人，也可用以进行多人的教学；但仍不能代替钢琴。

20世纪以来，钢琴的真正的劲敌，可能是不断改进的音响工具：留声机、唱片、录音机等等。往昔的人们只能依赖钢琴在家里认识交响乐的时代一去不复返了。唱片中的贝多芬交响乐，同钢琴改编本中的贝多芬交响乐，相去之远，一个好比是读文学名著的原本，一个是看缩编、简写本！

面对各种挑战、危机，已有三百岁高龄的钢琴，仍然留在音乐舞台上。爱乐大众仍然在弹它，听它。钢琴的国际比赛频频举办，夺魁者声名鹊起。"鸳蝴派"演奏家的唱片畅销，音乐会门票黑市高价惊人……

　　那么，无论从雅俗两方面来看，这个古老而长青的乐器，依然是有生命力的！

艺术机器的奥妙

最庞大最复杂也是西方最古老的键盘乐器，当然是管风琴。它不是一件通常意义上的乐器，而是一座建筑物，它那最低音的管子要好几个人才搬得动。有位音乐家回忆他小时候跟在教他弹琴的教师身后，走进管风琴肚皮里去修理它，手中持烛，为老师照明，心里惴惴的，害怕星火燎琴，酿成大祸。

钢琴的功用在某些方面胜过了管风琴，但它那复杂精巧的机构却安放在一个不大的空间里。这像一只表，表壳里安着的是一家微型工厂。

钢琴的心脏

要了解这架用近九千个零件组成的艺术机器的奥妙，首先要认识它的心脏——击弦机。自从钢琴出世以来，克里斯托弗里、昔伯曼、斯坦因、埃拉尔等等名匠师的心血，主要倾注在对击弦机的改进上。

我们弹钢琴，手指一触键，琴声便锵然而作，要长要短，要轻要重，无不如意。人琴之间的亲密联系，主要便通过这击弦机而实现。钢琴在其初期百余年中的不断改进，以及各家制造者之间的"争鸣"，也主要是在这击弦机上动脑筋，下功夫。

打开琴盖来看看，每一个琴键的后端，连接着用二十来个小零件组合起来的一串东西，其貌不扬，平淡无奇，其实它是巧夺天工的一大创造。

击弦机要解决的麻烦问题，主要在于对小槌的控制。既要叫它极灵敏地去叩击琴弦，又不能让它待在弦上，妨碍了琴弦的振动，更不能任其自说自话乱打一气。

必须做到，琴键一按下去，小槌便乖乖地叩弦，一击之后，它迅即闪回，所以它不会妨碍琴弦振动。

绝妙的是，小槌并非完全固定在击弦机上，当它受到了推动，打向琴弦的一刹那，它便暂时脱开，等到击弦之后弹了回来，又被安安稳稳接住了。这即所谓"断联"，也可叫"脱接"。击弦机对小槌的一擒一纵，叫人联想起传统的机械手表中那个擒纵器。钢琴击弦机中与此功能有关的那零件也叫作擒纵器（Escapement）。

于此必须补叙一笔制音器的作用。

在手指未触键之前，琴弦嘿然无声。这是因为有制音器将它捂住了。每一个键都连接着一个制音器。当你按键使小槌打向琴弦之时，制音器也立即闪开；你一放开键，那制音器立刻又把弦捂住，琴声戛然而止。倘若可说小槌是弹音符的，那么，制音器便是弹休止符的。没有休止符，也就不称其为音乐。

早期的钢琴制作，有些产品就因为击弦机的问题而过不了关，弹起来令人烦恼。有的是在放掉键之后小槌乱打不止，有的琴，让制音器紧跟着小槌捂上去以对付它乱打的毛病，可是这一来，弹出来的音都成了断奏了。

自从这些难题解决了之后，钢琴对古钢琴的竞争力便大大提高。不同的匠师各运其巧思，造出机制不尽相同而各有所长的击弦机，也便使其乐器各有特色，而乐器的特色又影响到演奏与乐曲的风格。例如，装了维也纳式击弦机的琴，弹起来轻快流利，但音量不大，音质偏轻；英国的勃罗德伍德式击弦机，则弹起来沉重些，音质深沉洪亮。前者，莫扎特一派人喜用；贝多芬却更赏识后一种。

琴槌虽小，关系非小

不要小看小小琴槌，钢琴的音质优劣，小槌是重要关键。它变成我们今天所见的这模样，也是经过一步步演进而来的。假如从始祖时代起，将一代又一代的小槌排列起来展览，就可看到它是由小变大的。但更重要的变化还在于槌头上包的什么与如何包裹，这有更大的变化与学问。

当初只用麂皮之类薄而软的材料。到了 19 世纪才用毡。现代钢琴上用的小槌，包上了好几层毡，看上去倒像个夹心花式蛋糕。这里外几层的毡又有软硬之别，外层的软，里层的硬。这对音响的好坏大有关系，目的在于使小槌同琴弦相撞时，坚硬的槌心压挤着较软的外层，让它同琴弦保持一定时间的接触。声学试验证明，槌、弦相接的时间长短，对泛音的产生有影响，而泛音同音质、音色大有关系。

琴槌虽小，关系非小。在决定一架钢琴的诸因素之中，专家认为，小槌的质量要占 25% 的比重。

正因为如此，以前它是专门有自己的工厂的。在钢琴生产的组装工序中，到了最后的修整过程，调整小槌从而调整音质，是一项重要工作。假如这件事做得粗糙，以致音质参差不一，那听起来是很不入耳的。

美化、强化弦音的共鸣板

在决定钢琴音质好坏的诸要素中，占 50% 比重的是音板。它就好像一把提琴的琴身，加强、美化和传送着琴弦上发出的音响。没有这个敏感的共鸣体，你只能听到一点微弱而又贫乏的声音。有过这样的故事，说什么帕格尼尼曾因为有人怀疑他只是靠了名贵的提琴才拉出好听的音乐，便在一只皮靴上装了琴弦，拉出了同样美妙的声音。那当然只是有趣的童话而已。

钢琴的音板用几块木材拼接而成。选材、制作，工艺复杂，对它的多方改进，也是钢琴制造史上的重要篇章。为了增强其共鸣，有人在音板上附加一个箱形的共鸣器，也有人试验过双层中空的音板，这也许是从小提琴的结构中得到了启发。

音板假如有毛病，或者使用日久出了问题，琴音便会明显地劣变。我们知道小提琴这种乐器一般是年代久的声音好，中国七弦琴也如此。钢琴属于耐用商品，用几十年不成问题，但却不是越旧越好，原因之一就是琴弦的强大张力可能使音板受不了而变形。须知，全部琴弦张紧到应有的程度，一架平台琴的总张力为二十吨！当然，在工艺上对此也采取了一些对策。

决定琴音优劣的三种主要因素中，除了小槌和音板，就是琴弦的问题了。

弦上之音大有奥妙

钢琴弦要用琴弦钢。琴弦钢是一种特殊的钢种，工艺要求很高。往昔的古钢琴琴弦是用的铁丝和铜丝，张得也不十分紧，那音响自然也不能同钢琴比了。即此一端已可想见，钢琴这近代新兴乐器的发展完善，完全离不开近代工业与科技如火如荼的发展，所以也不妨把它看成工业文明的一个宁馨儿。

每根琴弦的平均张力是一百八十到二百镑，全部琴弦合在一起是一二十吨。如此巨大的张力主要由弦框来承担。老式的弦框是木质的，实在吃不消。何况 19 世纪以来人们越来越追求洪大的音响和灿烂的音色，也便需要用更粗的弦，更大的紧张度，木质弦框无力承受，于是铸铁弦框代替了它。这又是钢琴大事记中很重要的一条。

弦音中大有奥妙。试在钢琴的低音部分轻叩一键，任其延长。侧耳静听，不难在听到此音之后随即又听到一串音相继而发，有高八度、高五度、四度以至两个八度的音等等。这些声音飘在那个基音之上而与之相谐和（其中也有不谐之音），这就是泛音。它乃是一种关系到音质、音色的重大因素。琴弦上释放出的泛音，同基音融合在一起，又通过音板的共鸣被加强与加工。

钢琴上靠右手的最高音部分，声音不如中音区的悦耳，为什么？音愈高，弦愈短，泛音也愈少，音质也就差了。但最低的音区由于大量的泛音而又使基音不大分明了。所以，要辨别最低的几个音的音准是不容易的。于此又可知钢琴的弦上之音里包含着复杂而微妙的科学道理。对这些问题的研究，不但有利于制造工艺的改进，还可用之于钢琴的演奏与教学。

为人增加一只手

看上去似乎简单而平凡，实际上很巧妙而且极为重要的装置是钢琴下面的踏板。

最重要的是右踏板。它是用来控制那些制音器的。你右脚一踩下去，所有的捂在弦上的制音器都离开了琴弦。琴弦自由了。此时，你按键之后虽然放掉它而琴音仍然不止。这样一来你那些本须继续按着的手指，不就可以腾出来去弹别的键了？右踏板的这一妙用，使得作曲的可以把织体写得更复杂些；要是不用右踏板，许多写得复杂的钢琴曲就无法完整地弹出来。

右踏板的作用还不止此也，它使制音器离开琴弦后，不但使已弹之音继续鸣响，同时又让那些被解放了的空弦也与之"同声相应"，加强了共鸣，声音更加洪亮了（所以有些人管它叫"强音踏板"，而且在需要响亮热闹的效果时滥用了它）。增加响度，并不足为奇，奇妙的作用在于共鸣之中有以上说过的泛音的交融，产生出新的音响，浪漫派和印象派正是从这方面运用踏板，大大开拓了钢琴的表现力，其说见后。

左踏板的作用比较简单。它使弦音减弱，音色也有所不同。在立式琴上，踩下左踏板，小槌便向琴弦靠近些，琴槌叩弦的力量就轻了。在平台琴上，则是使小槌向一侧稍稍偏移，只叩击每一组弦中的两根或一根弦。这样的音色变化，比立式琴更为明显。

中间那个踏板，可以说是与音乐表现无关，只是用来对付钢琴"噪音"的一种手段。踩下这踏板，就会有一条绒布之类的带子放下来，遮在弦上，弦音变得更轻，但发闷了。

可是另有一种中踏板是绝妙的发明。它也像右踏板一般，可以控制制音器，让弹过的音延续下去。所异者，一般琴上的右踏板是叫全部制音器统统放开，而此种中踏板，只让你弹过

的那个键的制音器放开。这样便可以按照需要来延长某几个音
而不至于造成不必要的一片混响。这对弹奏复调性的或和声织
体复杂精致的作品最为得力了。可惜的是装置这种踏板的琴并
不多见。

钢琴的生产与消费

市场今昔

有关乐器制造生产销售的情况，过于专业性的不宜多谈，但如果同乐史背景联系起来，有些话也就不那么枯燥无味了。

钢琴工业的先驱者中，颇有几位老板是很不凡的。他们是乐而优则从事工商的资产者。例如曾同莫扎特比过高下的克莱门蒂，也是这种角色，此公不但是演奏名手而已，他在作曲、教学上都是对时人和后人颇有影响的。他写的小奏鸣曲，今天的琴童都要学。他编的钢琴教材《名手之道》，也至今为钢琴演奏家和教育家所推崇。后来他从授琴所取的高学费中积累起一笔资金，当起了克莱门蒂钢琴厂的老板，产品是当时名牌之一。有趣的是，首创夜曲这一体裁而且对肖邦的乐风有影响的那位斐尔德，当年便曾受雇于克氏的琴行。他干的活儿是弹奏本牌乐器以招徕顾客。

肖邦的书信集中常可见到一个人名，普来叶尔。当时各种牌子的钢琴中他偏爱的是普来叶尔家的出品。此人父子俩都不是什么脑满肠肥的市侩。他们是真正的行家，都写了数量很可观的作品，其中有交响乐、四重奏等等大型乐曲。

19 世纪头几年，钢琴生产中居于上游的是英、法、奥这三国。英国的名牌是勃罗德伍德和克莱门蒂。法国是普来叶尔和埃拉尔。后者是平台琴上的复震奏机的发明者。没有他这发明，像李斯特改编的帕格尼尼的《小铃铛》（一般译为《钟》），其中的同音快速反复便弹不成了。（这种快速的同音反复，在平台琴上可以达到一秒之间十二次。立式琴上应可达到八次。）

1850 年以前，钢琴这种高档奢侈品，只是在规模不大的工厂里由熟练工人主要以手工业方式进行生产，供音乐家与富裕的爱好者享用。那时的产量自然不会很大，但也无须提高产量，反正销售量不可能大，而利润却已可观。

那时的价钱呢？一个熟练工人或当文书的，需要付出相当他一年所得，才买得起一架。具体数字是一台立式琴要五十英镑，平台琴是一百四十英镑。

1913 年，赵元任在美国以二百二十美元，买了一架二手货琴，原价二百五十美元，分期付款，每月三块五。当时清华奖学金每月六十美元，每月付女房东膳宿费三百零五元（见赵氏年谱长编）。

19 世纪中叶以后，欧美的钢琴产量大增。这既反映了文化市场的需求，也显示出了分工协作与机械化生产的威力。一架钢琴已经不再是一家小而全的琴厂自给自足的产品，那几千种零件开始由若干家小厂或作坊去分头制作了。（以现代美国鲍尔德文琴厂为例，它生产的琴，击弦机来自墨西哥，弦框和金属零件也是由本国其他工厂提供的。）

1894 年，萧伯纳在一文中提到当时的琴价：花二十五镑，便可到手一架质量过得去的琴了。再往后，从 1914 年之际的售价，更可见出钢琴市场上供求关系的变化。那时的平均价格在每台一百镑以下。一架名牌的贝希斯坦琴，立式的，也只消此数之半。非名牌的，三十镑也就买得到。甚至还有更便宜的，十五镑一架。从人们的收入水平来对照比较，琴价只抵得1850 年的一半。（再看一个可供参照的具体数字：1910 年，哲学家罗素任三一学院[1]讲师，年薪二百一十镑。）那时真可谓西方钢琴消费者的黄金时代!

此乃"一战"前之事。到了两次大战间的那些年，由于诸多因素影响，钢琴市场扩张的势头停了下来，而且现出了"下世的光景"了。然而看看那产量吧：20 世纪 20 年代，单在美国，年产便是三十四万多台。据随后几年中的统计，那里的城市居民中半数都拥有钢琴。

---

1 即英国剑桥大学三一学院。

　　自动钢琴、留声机等的冲击，使钢琴生产一落千丈。从1927年到1932年，美国从年产二十五万台跌到两万五千，真惨！英国减产了三分之二。为了改变这种不景气，在时已大为缩小了的市场上涌现出一批体型缩了的便宜货，而此类小型琴也正适合消费者不那么宽裕的居住空间与钱袋。不过高档优质名琴依旧有其吸引力。有一家贝森多弗尔琴厂，前一个世纪仅在奥地利有市场，忽然打进了国际市场，一跃而成了国际名牌。传统的名牌更有其长盛不衰的优势。德国的斯坦威，稳坐世界名牌第一把交椅。特别是它那高音的音质，别家是赶不上的。在汉堡的这家厂，月产百余架高档品。1973年为美资收买而去，变成了美国厂的子厂了。美国的斯坦威也一直以优质来保名牌。要买必须提前订货。这牌子的一架琴，抵四架日本雅玛哈琴之值。该厂对顾客还有免费保修三年的优待。江苏某音乐学院曾买了一架。后来厂方派了技工来了解它的保养情况，一看校里竟将这样名贵的乐器随便放在不利于保养的地方，当即提出了意见。

　　从西方文学作品中"他的高档汽车——汽车中的贝希斯坦"这种说法中，也不难感受到此种牌子的知名度，1972年的统计数字：全美国有一千五百二十万人弹这乐器。

　　恰似从前北美在钢琴市场上的后来居上，"二战"之后，日本又成了逐鹿中的一强。自从昭和年代起便努力用本国货的钢琴来装备中小学校的日本，到了1969年，产量高居全球之首，年产二十五万七千台，比老美还超出三万五千台。日产的音乐会大平台琴，连某些最爱挑剔的所谓世界级演奏家也乐于选用。"小东洋"居然也成了"钢琴大国"！从1990年的报道中得知：1989年日本钢琴外销又受到韩国的冲击，从每月三万多台猛跌到四千。韩国每年外销已达三十万台以上，成了新霸。

1979—1984年间，平均琴价从八百五十美元上涨到二千九百美元。这当然与成本提高等因素有关系，并不就预兆着西方世界往昔的钢琴热再度重来。

市场竞争中往往有噱头场面。如1977年，美国的电视上有日本雅玛哈同斯坦威这两家的"钢琴论战"。起因是在此之前有一位钢琴家演奏时，屏幕上露出了前者的牌子，斯坦威迷为之哗然。在论战中，斯坦威一方抬出了霍洛维茨这尊钢琴泰斗，雅玛哈派则由引起这场风波的瓦茨应战。

这无非借重钢琴家的名声来做推销商品的广告罢了，却也并不新鲜，古已有之。1824年6月，李斯特首次在英伦露脸，音乐会海报上有那么一行说明："大师将使用的是埃拉尔新近取得专利权的大钢琴。"

调音师这角色

这里要插一个话题，虽然谈这个问题不免要牵涉到枯燥的声学、律学和技术性的名词，但此事关系到钢琴的声音，其中有些情况是钢琴的主人们不应该无所知的。这是关于如何给钢琴调音的问题。

每一架新琴出厂之前必须调好音。调音不是一次而是三次。第一次要比标准音高调高四分之一音。第二次调要比标准音提高八分之一音。第三次才按标准音高来调。每两次调音之间相隔四五天，从初调到第三次之间至少要十八天。但新琴会走音，不稳定。所以用户买回去不久之后还得调。即使音已稳定了，每隔一段时间就得调一下，仍然是不可缺少的。

所以，哪儿有钢琴，哪儿就有调音师的生意。《美国梦寻》的作者美国作家特克尔写的一部《干活》，收罗了三百六十行各种人的自白。其中也有干调音这一行的。一位调音师自白道：虽然人们看不大起他这活儿，每当他腰里挎上工具袋上高楼大厦里去调音，门房只许他乘杂役用的电梯上去，但他还是不想改行。吸引力来自好琴的声音。一架名牌优质琴，比方斯坦威，那琴声叫他忘记了自己的卑微。

对于有音乐耳朵的人来说，一架荒腔走调的琴上弹出来的声音，是可笑，可嫌，也可怕的！正因此，穆索尔斯基才写过一首漫画风的钢琴曲，描画一位女士在琴上弹那首到处有人弹个不休的《少女的祈祷》，而那架琴是走了调的！难以理解的是，钢琴家霍夫曼年轻时候，有一回去安东·鲁宾斯坦那里上琴课，那一架琴已走音不准，大师却不以为意！

调音师的工具并不多，只用一把调音扳子，一支音叉，凭一副耳朵。有功夫的，不费太多时间，便使你感到调好的琴音有如重新擦亮的镜子，焕然一新，谐美无比。水平差，缺乏经验的调音者，可能要磨蹭上好半天而仍然使人听起来不舒服。

调音有一套程序。一般的调法，主要利用八度五度四度这些音程来核对，调音师一面转动扳子，松、紧琴弦，一面在键盘上弹着这些音程，听其是否符合音准和音律。

这"律"便是"十二平均律"。

如何听出其准还是不准呢？那个 a=440（即每秒振动的频率为 440 赫兹）的音高是公定的"国际音高"。从前是以音叉为准，现在还可用电子调音器。但定好这标准音以后，其他的音只靠耳朵来听。其中又有个法门，便是听二音同响时的"拍"声。最和谐无间的是同度与八度，没有"拍"声；其他的不十分和谐的便相干相涉而产生了"拍"。和谐度越差，"拍"便会增加。调音者正是利用这"拍"的多少来核对音程是不是准了。我们凡人，只能大体上听得出它们和谐与否而已。

既有电子调音器，当然也可完全依靠它来调音。但用仪器调出来的，理论上是准极了，其实际效果却未必能让演奏家满意；反而是富于经验的调音师凭耳朵和感觉精心调出来得更悦耳。

有一篇谈调音的文章，谈到调五度音程时，提醒说："你有调得太纯的危险！"（纯律中的五度是纯的，平均律中的五度则不纯。）

这又牵涉到钢琴之音不纯的问题，不纯者是指平均律不如纯律的准。前文提到特克尔采访的那个调音师发妙论，他说："钢琴是调不准的，因为平均律本来就是一种不准的音律。"从以上情况来看，钢琴上的音岂非同平均律也不完全符合呢！笔者曾见过有位盲人调音师，失明让他摒除了外界的部分干扰，倒有利于审听音律的出入了。在钢琴热的中国，调音业也像授琴业一样的吃香。只要看看有些上了年纪的调音者，那样劲头十足地四处奔波，便知其获利甚丰了。我听说那位盲人调音师是有"二奶"伺候他的，但这饭碗也不是容易捧的。使用那个调音扳子，并不像看上去那么轻松：在嘈杂的环境中进行长时间的调音，也绝不是一件愉快的事。

奇琴种种

从 19 世纪中叶以后，钢琴定型为平台型与立式琴两类。但在那前后也曾有过形形色色的变体。

方型琴。像个长方形的台子。19 世纪初，这种琴畅销西欧北美，很为乐人所重。又过了二三十年，却不再行时了，沦为拍卖行、古董店中货色，甚至成了梳妆台或酒柜的代用品。到本世纪五十年代，忽又走红，热心购求者不乏其人。

长颈鹿琴。其实别无他异，不过是将平台琴的弦列从水平改为直立，将琴身竖立起来，那样子自然有点像长颈鹿了。

立式大钢琴。也类似长颈鹿琴，向上发展，琴身做成大书橱式样。克莱门蒂厂有此产品，高音弦短，空出来的地方正适合用来放乐谱。海顿很欣赏这种琴。

移调琴。通过移动键盘来达到可以移调弹奏而无需改变指法，从前就在管风琴与古钢琴上试行过。移调钢琴也是用了移动键盘实现移调的方法。

足键琴。琴下装了用双足踩奏的键盘，就像管风琴一样。据考，莫扎特、门德尔松、李斯特和舒曼都曾拥有此种乐器。它最大的用处是可以在家里练习弹奏管风琴曲，当然也可以弹奏特为它写的乐曲。舒曼的曲目中便有好几首这种乐曲。

双体琴。将两架平台琴合二为一，可以让两人面对面地弹双钢琴二重奏。这种琴当初是法国普来叶尔厂专利的。

游艇琴。一种小型立式琴，键盘可以叠起来以节省地方。

抗损伤的钢琴。这种也许可入"钢琴无双谱"的商品，出现于本世纪 50 年代，是为适合前线军人使用而特制的。厂家对它的广告介绍，读起来颇为滑稽，令人忍俊不禁：琴盖设计成屋顶形，使酒瓶酒杯均无从放置。出于同样的考虑，琴盖上无一处为水平面，踏板盖镶以铜片，以防足踢损坏。琴体上的边角部分皆成弧形，庶不致碰伤头部，也保护了乐器。琴键亦镶铜，免遭香烟头的灼伤……该乐器耐受热带气候以及运输中的损伤。

各种效果踏板。早期的钢琴，正经的踏板并未引起重视，却有不少制造效果的装置，有些乐器上，此类踏板竟有五六个之多。例如有的能发击鼓之声，有的其声如钹，还有"巴松踏板"则可以使琴声有巴松管味。鼓钹效果又是为了制造所谓土耳其风的效果。这种土耳其风的音乐在 19 世纪之前是很时髦的东西。莫扎特的作品里也不难找到它。

此类俗不可耐的附加物，后来终于被全部淘汰。

机器怎样通灵

　　人们辛辛苦苦创造了钢琴这样灵巧的乐器，可是要叫它成为驯服的工具，弹出美妙的音乐，还得付出艰巨的劳动。这种有键盘的乐器，似乎比别的乐器都好学，连一个双目失明的人也可以在这上面摸出音阶来，音律准确，声音悦耳，绝不像初学小提琴者在琴上"锯"出来的声音既难听又不准。（说到这里，不禁又想起前面说过的那位盲人调音师。我亲见亲闻他调好一架旧琴之后，忽然兴起，信手弹了一曲，旁若无人，舒畅之极！）但要在钢琴上得心应手地弹奏乐曲，绝不是一件简单的事。要当一个一般水平的专业演奏者，必须投入练习的劳动量有多大？有人估计是以每天七小时计，要练十年。

从六指弹到十指弹

　　钢琴三百年，既是一部乐器史，同时也是一部演奏史。这不是非常有意思的事吗？人是在不断学习怎样使用自己的创造物中来完成其创造的！

怎么弹，如何练，今昔相比，变化大得很。19 世纪以后的人假如看前两个世纪的人弹键盘乐器，基本上只用中间的三个手指，大小二指都垂在键盘外面不大用，当然会大为惊讶。从一些古人画的淑女抚琴图上，可以很清楚地看到只用中间三指而让大小指垂在外的弹琴姿势。

还有那种让第二指从第三指（中指）上边越过，只用二三指交替着弹上行与下行的音阶，都是今天最忌的，一般的琴童看了都要好笑。但古人习惯成自然，只用六个指头和这种怪指法，弹起来却又相当的快速而流利。你试弹弹古时的键盘乐曲看，尽管是用十个手指，也并不那么好对付的。

巴赫是大小指的解放者。虽然他教自己的儿子不用大指，除非要弹距离较大的音程，他自己却自由运用，不再让它们挂在键盘之外，而移到键盘之上了。

说起来有点滑稽，古指法还有这种规矩：区分"好指"与"坏指"，各用以弹"好音"与"坏音"。中间那三个手指是"好"的，用以弹重拍上的"好"音，另外两指则是"坏"的，弹轻拍上的"坏"音。这大概已比只用六指有所发展了（台湾师范大学音乐系副教授赖丽君先生在对本书的评论中指出：此处译名不恰当，西文的 Good finger 与 Bad finger 应译为"强指"与"弱指"。又认为，"重要的音符通常由强指弹奏……"笔者觉得有道理。请看本书附录二中该文有关段落）。

巴赫虽已开始解除了对大指的禁令，但他仍多用两指交替从上面穿越的指法，并没用我们今天让大指从其他指下穿越这种指法。他有时甚至用小指从无名指上边越过，这在后人看来何其别扭。

从巴赫到贝多芬，这其间经过了三四代人的漫长时间，当年轻的车尔尼拜贝多芬为师学弹琴时，老师指点他要注意运用大拇指，当时他还觉得颇为新鲜。

早期弹钢琴的人只注重手指的操作和训练，并不大考虑腕、肘、臂的作用。那时节弹琴动作平稳，文雅之极。有一部前些年放过的法国人摄制的贝多芬传记片，从中可以看见贝多芬弹一段慢板音乐，就像是此种风格。后来人们渐渐了解到弹奏中手指与手腕等以至整个身体之间的关系，老式弹奏法便为更加合理的弹奏法代替了。

十八、十九世纪之交，钢琴演奏形成了不同流派。一派像莫扎特、胡梅尔等，他们在键压轻而击弦机灵活的维也纳式钢琴上，用轻妙流利的触键，弹出风格优雅的音乐。

另一派则主要使用英国式的钢琴，键压较重，音响厚重丰满，运用如歌的圆滑奏，探求一种更为深沉的意境。克莱门蒂可称此派先驱。贝多芬也更喜欢英国琴和这种风格，这更适合他的音乐性格。杜塞克（今日中国学琴的孩子都弹过他的小奏鸣曲）和克拉莫等，也属此派中人。

弹奏习惯的变迁

同弹琴有关的一些习惯，也在变化，谈起来也有意思。坐法就是一例。莫扎特在家书中津津有味地谈论一个女孩弹琴，说她坐在靠右的地方而不在中间。巴赫的儿子中最有名的一个，C. P. E. 巴赫，是坐在正中处弹奏的。但时代稍后的杜塞克，却爱靠左侧而坐，这便于他加强左手弹奏的力量。再往后，演奏名手卡尔克布雷纳——他曾差一点当了肖邦的老师，却又坐得偏右。须知，当时的键盘正在扩展，高音区也显得更加重要了。

演奏人以右侧朝着听众表演，据考，第一个这样做的是杜塞克。在此之前，演奏者是背朝着台下的。

有些人主张坐得高一些。李斯特教人这样坐，好让前臂斜向键盘，居高临下，可获得更大力量击键。但许多人则选择低姿。

有人主张手要向拇指一侧倾斜，好加强那个力弱的小指；有人又为了让拇指更自由些而主张手向另一侧倾斜。

有人强调高抬手指击键。有人几乎像在压键似地弹，舒曼的夫人克拉拉便是如此。

大拇指虽然早已派了用场，却还未能完全解放。用它弹黑键是不许的。但后来这一禁令也渐渐地给打破了。

　　演奏时看谱还是背奏，古今的风习也大异，有趣的乐史资料颇不少。莫扎特的记性特好，自己的所作全都储存在脑子里，何用看谱弹奏，但有时又不得不权且放张空白谱纸在琴上弹，免得庸众大惊小怪，交头接耳，窃窃私议。这并不是夸张其事的传说，后来有前事重演的例证：1816 年，英国钢琴家哈来在伦敦背奏贝多芬作品，《泰晤士报》便申斥他"竟敢如此"！（大概认为这是对乐圣的亵渎吧？）逼得他下次只好拿一本谱摆在面前装样子。

　　安东·鲁宾斯坦举行按时代顺序演奏名作的"乐史演奏会"，比洛赴美演出一百三十九场，他们全都不看谱，只凭记忆。勃拉姆斯对巴赫和贝多芬所有的钢琴文献背奏如流。李斯特门下的波兰人陶昔格，记得钢琴文献中所有"值得演奏的东西"。

　　只见其手指动的"腕静派"，其遗风到 19 世纪仍流传颇久。1860 年，曾指点过门德尔松的莫舍莱斯[1]给学生上课，还教大家要保持手腕平稳，只动手指头，腕要平稳得能放一杯水上去，弹快速经过句而水不泼。从前，师从过克莱门蒂的克拉莫，他的办法较为好办：弹奏时放一枚钱币在手腕上。

　　琴艺高明、受到大师们称赏的英国钢琴家贝纳特，对学生是这样教的：手指头是力量的唯一来源。越是练得手指疲劳不

1　Moscheles，现在多译为莫谢莱斯。

堪，越能证明你练得有成绩。这在后来的教师们听起来都是要摇头的。

从手上功夫到脚下功夫

从只有六个手指头忙，到十指统统发挥作用，从只注意运指，发展到重视指、腕、臂、肩的协调联动，钢琴弹奏法是更加科学化了。但这都还是手上的功夫。大约从贝多芬时代起，一种全新的因素进入了钢琴演奏、表现与作曲的领域，弹奏者除了手上的功夫，还要操练、运用其脚下功夫！

踏板成了钢琴的一个重要部件，虽然比起击弦机来，踏板的结构是那么简单。但是由于踏板的运用，一下子便大大扩充、加强了这个乐器的功能与表现力。

前文中提到过，右踏板踩下去，可以使你弹了又放开的音继续延长，这让你腾出手指去弹别的音。有了这个右边的"延音踏板"，等于是给人添了手指。曾与李斯特争雄、咄咄逼人的演奏家泰尔伯格，擅长制造复杂而华美的音响效果。当时人夸他"有三只手"，正是多亏了这延音踏板。

莫扎特的手稿上据说是一个踏板记号也没有。这当然同当时的乐器、他的乐风、他的演奏风格等等都互有联系。今天演奏他的钢琴作品，不妨加用踏板而又以慎用为宜。

一到贝多芬笔下，踏板记号就多了起来，有的地方还令人疑为不该用，使今日的演奏者不敢照踩，怕那效果不佳——混浊（这除了别的缘故以外，还应考虑到今昔乐器上的实际效果有所不同）。对于浪漫主义的肖邦、李斯特与舒曼等作曲家而言，可以说假如离开了这延音踏板的运用，他们便无从措手（写与奏）了。乐史中竟有这等趣事：守旧的莫舍莱斯之所以从来不肯弹肖邦的作品，原因之一是嫌他踏板用得多。莫舍莱斯虽身为 19 世纪之人（1794—1870），他却不欣赏这个表现工具，主张用得越少越好。

有此一说：如问，什么最能区分 1800 年之前与其后的钢琴弹奏，那便是踏板的运用。此说足够使人理解这个被踩在脚下的玩意之不可轻视了。

但这还不够，对于印象主义作曲家和后来的许多演奏家来说，踏板已不仅是手的延长与增加的问题，它是钢琴音乐与演奏艺术之"魂"！这将于下文《钢琴乐话》中再具体一点谈。（请参看附录二中赖丽君教授对本书的评论。其中对本节有较多批评。）

炫技者与艺术家共处

19 世纪是钢琴演奏艺术大发展的时代，也是一个炫技者与艺术家并存共竞的时代，有意思的是，这二者也共处于李斯特其人之一身！

起初，钢琴演奏家追求的是"大珠小珠落玉盘"，或如莫扎特爱讲的"如热油之流动"似的效果。他们不必也不喜多用踏板。然后，人们要求更强的力度，注重圆滑奏与"如歌"的表情，于是触键法起了变化，也开始发挥踏板的作用。音乐对于音量、音色作细腻变化的要求不断提高，手上与脚下的功夫也发展到了新高度。应该说，心—手—器这三者是在连环地相互促进，相辅而又相成。从钢琴这乐器，钢琴演奏与钢琴音乐三者的演进来看，它们的每一方面都不是孤立地在发展。作曲家在谱上写出来的新花样，总是既反映出新技巧，也推动着它进一步发展。

有人说，设想李斯特今日复生，叫他弹德彪西与拉威尔的作品（更不必说现代派那些稀奇古怪的作品了），他不可能像当年那样，拿起格里格的协奏曲手稿便视奏无误，而是需要再进音乐学院去，同年轻人一道，接受一番"再教育"，他尤其需要好好学的是运用踏板的本事。

不过也有另一种说法：总的来看，从李斯特与鲁宾斯坦这些巨匠们以来，弹奏技术并无重大进展。有人认为，当代的那些演奏大师们，不见得能胜过上一世纪的钢琴巨人。但一个很重要的事实是，钢琴演奏水平得到了普遍的提高。

想想看，二百年前的莫扎特，他在一场乐史上有名的比赛中挫败了对手克莱门蒂。他对自己的弹奏技巧是相当得意的。其实用后来的要求去衡量，他那一套算不了什么；虽然，也正是他那些技术上要求不高的作品，却是在艺术上极难处理得好的音乐。

教学事业的兴旺

同钢琴文化特别是演奏水平平行发展的，是钢琴的教学事业。

在钢琴文化史上，授琴之专业化是后来的事。似乎是从莫扎特起，收徒纳费才变成了音乐家们收入来源之一。古时候，大师们是作曲和演奏不分家的，所以两样都可以教。但大师并不总是好的教师，对技巧上的问题可能知其然，而不见得能分析其所以然。而且他们也不耐烦在教学上多费脑筋。

莫扎特主要是为了生计而收徒，他的家信中有不少这方面的话头。贝多芬倒并不在乎学费，学生也寥寥无几，车尔尼是一个。肖邦由于体弱多病，又厌见庸众，所以不大乐意参加公开演奏活动；而亡国寓公颇为讲究的生活又需要维持，这便从富贵人家的小姐们所付的高额学费中得到了弥补。贝多芬对弹奏法与教学法有他自己的见解，曾发愿自创教学法，也留下些练习曲。贝多芬用 C. P. E. 巴赫的教本教车尔尼。强调 Legato，而与莫扎特的 non Legato 相反。

李斯特是一个为人极慷慨的"广大教主"。他收门生是像孔子那样"有教无类"，有的人可免交学费。但他的"大师班"也不是好进的。他要求门徒自己先去打好底子，他才来给你点拨。鲍罗廷去拜访他时，看到他在给一二十个人授课，随便得很，没有什么硬性的安排。他极少注意学生的技巧问题，而集中于音乐表现。如其要他示范和解释自己的方法，从不拒绝。还有人报道：他很厌烦听学生弹什么作品，尤其是贝多芬的作品，假如不得不听，便显出一副无可奈何的神气。但有时他也肯逐个音符地教贝多芬作品。学生练，他来回踱着听，有时停下来做一些辅导。特别难的地方让生徒们轮流弹一下。有一次，一个人弹贝多芬的"热情"，弹得毫无感情，他大动肝火。

很有趣的是，堪称"李斯特第二"的安东·鲁宾斯坦，教琴的作风又不同。从他的高徒，波兰钢琴家霍夫曼的回忆中可以知道，这位大师从来不肯示范，他只是作口头解释，难题要学生自己去解决。最滑稽的一件事是，有一次他在音乐学院里上课，讲到自己弹奏技巧的某一个问题，竟讲不下去，不得不慌里慌张去求教于同行莱谢蒂茨基——也是有名的钢琴家和教育家，请其解释一下，这种技巧是怎么一回事。他弹得出，然而谈不出！

二百年来不知道出了多少种钢琴教学法。霍夫曼在杂志上回答初学者的问题，有一段是《过多的"方法"》："唉，方法真多！""美国是世界上方法五花八门，泛滥得最厉害的地方。"

匈牙利人约·迦特在其所著《钢琴演奏技巧》一书的"前言"中请求原谅，"因为我使教学法的数量又增加了一本。而这种书是很少被人从头读到尾的。""我并未发明任何新方法……我们并不需要什么新的更近代化的弹奏方法……贝多芬以后，人体结构并未改变，而钢琴机械的实质也一如既往。"（引自该书中译本，人民音乐出版社版。）（笔者也硬着头皮读过，书中有"上方泛音""下方泛音"二术语，我大惑不解！）

不得不吞下去的苦药

弹琴是一种极大的享受，此点容后再说；练琴却是大苦事。欲甜先苦，不得不尝。尤其枯燥无味的是手指练习、音阶、琶音等等。对于天性并不喜欢音乐的孩子们来说，更无乐趣可言。对那些不爱音乐的邻居，又成了折磨神经的噪声。

有一个学琴少年问霍夫曼："弹手指练习时在乐谱旁边放本书看看好不好？"此种机械的手指练习，不需要多用脑子，故有此问，但也可见少年之心猿意马了！

罕见的例子之一：当代钢琴演奏大师，去世不久的阿劳，他小时候对练琴迷到如此程度，饭也在琴上吃，边练边吃，由他妈妈往嘴里喂！

圣 - 桑的通俗名曲《动物狂欢节》中，硬生生插进来一段《钢琴家》，让他与别的动物同乐，显然是对讨厌的弹练习曲者有意嘲弄。德彪西写给掌上明珠弹的《儿童园地》里，也放进一篇幽默小品《练习曲"博士"》。听这二曲，笔者总不由得想起当年在钢琴之乡的鼓浪屿，借住的那家人家，有琴三架，主人是个专业的，天天不知疲倦地苦弹音阶、八度，为个人独奏会做准备。那确实是倒胃口的"音乐"！

有许多练习曲，可以说是为了弹乐曲而编制的预习课本。车尔尼，这位贝多芬之徒，李斯特之师，很受贝多芬赏识，教了他三年，后来还把爱侄卡尔学琴之事托付给他；他要去旅行演奏，又为他写了推荐信。车尔尼年方十五，便成了十分走红的钢琴教师，其门如市，疲于应付。多产的他，作品编号超过一千（贝多芬的作品还不到一百五十）！其中有早被世人遗忘的交响乐、协奏曲等。只有数以百计的练习曲集，才使他名垂后世。

今日琴童脱口而出的"599""299"和"849"等等，都是他这类练习曲集的作品编号。除了训练基本功，它们也主要是为了便利学生以后弹莫扎特、贝多芬等人的乐曲；也即是把乐曲里将要碰到的种种基本"词汇"预先编成"习题"来做，以后"读"那"文章"便不难了。但如果弹浪漫主义和以后的乐曲，这种练习又显得陈旧而不够用了。

肖邦的练习曲别具一格，人所共知。它们既有供学生发展高级技巧的功用，本身也是高档艺术品。弹起来相当难，听它们却是绝好的享受。值得一说的是，为了帮助学生减少弹这些高级练习曲的困难，钢琴家科托为此编出了一套练习，可谓"练习曲之练习曲"了。于此也更可知弹琴这件事不简单。

即使不谈向技巧高峰攀登之苦，弹琴也并不像外行人看上去那么不费力气，轻松自在。赵晓生教授在其名著《钢琴演奏之道》中告诉我们："弹柴科夫斯基《降 b 小调钢琴协奏曲》引子中的一串和弦，指头承受之力相当于用十指作'俯卧撑'。如无此力量，全身之力无法送到指尖，就无法弹出那雷鸣般的声音。"

没有力量不行，不懂得用巧劲，狠敲猛击，也并不能使它发最强音。要弹出的声音美，问题更是复杂微妙。现代钢琴名手吉塞金说，有的业余弹奏者弹出很漂亮的声音，有些人虽然专业技巧高，声音却不好听。同是这架琴，高手叫它唱出美声，庸才的琴手却弹得声音平淡。这其中，既有艺术问题，又有科学道理。

虽然"方法太多"，练习曲汗牛充栋，有些古年八代的练习教程至今仍然在用着，至少在钢琴热如日方中的中华是如此。但它们的编者的生平，我们几乎无所知，这也是令人感慨的。例如贝尔，他那本教程曾是中国琴童开蒙的"三字经"。然而到词典或"百科"里去翻，有的根本查不到这个名字，即便收了他这一条目，也只寥寥几行。他是生于 1837 卒于 1898 年间的一个德国小乐人，作有大量钢琴曲。有些作品以化名发表。有一曲叫《即兴圆舞曲》，一时曾大为风行。在美国人维尔编的那本所谓《钢琴名曲二百七十首》中可以找到它，署名巴赫曼。

还有两个小乐师，他们写的小奏鸣曲，琴童们几乎必弹的，然而谁又知道其人其事呢！一个是库劳，德国人，时代是

1786—1832 年。他是拿破仑的同时代人。在风云扰攘的年代，为逃避当兵逃到丹麦去，混上了一个宫廷乐师的职务，写过许多作品，歌剧、协奏曲、室内乐、声乐曲都有。

另一位被淡忘的人是上文提到过的杜塞克。生卒年代为1760—1812 年。这位波希米亚人当年既是个演奏钢琴的名手，又是位作曲家，从十二部协奏曲、四十首钢琴奏鸣曲、五十三首小提琴奏鸣曲……这些数字便可见其多产了。贝多芬的某些风格特征首先出现于他的作品之中。他有一首《C 小调奏鸣曲》，早于贝多芬的"悲怆"五年，其中有惊人的相似之处。他的作品中有些和声手法预示了舒曼与勃拉姆斯。他其实是乐史家不该忽视的一位乐人。小行星，也是自有其不灭的光辉的！

乐器以外的练习手段

为了帮助学琴者练功，人们既想出那么多的"方法"与"体系"，也求助于钢琴以外的手段。有个叫浮吉尔的，设计出一种无声键盘。用它来练习，当然不会干扰他人了。其键压可以调整，以适应不同练习者之需要。它还有一种帮助你练习圆滑奏的功能。

可是当有人征求霍夫曼的意见时，他并不赞成用这种"哑巴琴"练习。他引舒曼之言来回答：你不能向一个哑巴去学怎样讲话！

还有一种由洛吉尔其人发明的"导手架"。据云可以使练习者的两手保持正确的位置。

19 世纪以来还有人编出了练习操，有"手指与腕部的练习操""手臂操与按摩法"等等。据说，李斯特也曾做过"手臂练习操"。（其实钢琴家与未来的钢琴家——今日的琴童都逃避不了的"哈农"，不也就是手指的体操吗！）

不一定十指都用

从古钢琴的只用六个指头弹，到十个指头弹钢琴，又发展到不光是用手，还用踏板来无形中增加一只手；钢琴演奏史中许多问题不是一篇小文说得完的。作为余兴，补充几条珍闻，说明有时也可以不必十指全用。

最有名的佳话是李斯特的一次演奏，不巧，右手中指割伤了，不能用，但他照样上场。而那次他弹的，是一部技巧并不简单的大曲：贝多芬的《皇帝协奏曲》！

格拉祖诺夫的钢琴弹得相当棒。人们常见他用左手的中指与无名指夹住一根雪茄烟，弹时一个音符不漏，包括很难弹的段落。

还有某钢琴家在音乐会上弹奏，天太冷，渐渐冻得四、五指不听使唤，他只得只用其他手指对付着弹完了。

车尔尼曾听贝多芬说，他多次听过莫扎特的弹奏，常常只用六指云。

其实只用一只手五个指头也能弹呢，请观后文。

人与琴

人与琴之间的事情是很有味道的一个话题，不仅可供谈助而已。钢琴这种无生物，完全是靠了万物之灵，才钟了灵气：作曲家为它谱曲，以它为代言者，倾吐自我的胸臆；演奏家再以二度创作的方式参与，又向它注入生气；人们这才听到了钢琴以其特有的语言和声口，歌唱和说话。至于那些一身而兼作曲、演奏二任的大师们同他天天使唤的乐器的关系，更是可供爱乐者玩味无尽的话题了。虽然这些内容也可放在其他地方叙述，提出来专作一篇来谈，是想突出人琴之间的一些镜头，与读此书者共赏。

莫扎特与钢琴

这位不世出的音乐大天才，他的短促的一生，正好也是键盘乐器改朝换代的时代。

人们津津乐道于莫扎特幼时弹钢琴一座皆惊等逸话，其实对这些故事中的"钢琴",是应予正名的,应该在钢琴二字前添一个"古"字。这是因为他小时候还不可能弹到钢琴这种新兴而且尚未流行的乐器,他只可能弹古钢琴,当众表演的主要是拨弦古钢琴。

如本书中前文所说,直到1764—1765年间随父访英演出,他才有接触这种新兴乐器的机会。然后,1775—1777年他又在慕尼黑、奥格斯堡试弹了斯坦因所制之琴。从此以后,钢琴便成了他更中意的乐器。

1778年他去了巴黎。陪他去的他母亲在一封给老莫扎特的信中诉苦道:居处太小,门廊和楼梯狭窄,以致借来的钢琴抬不上去,害得儿子要谱曲时只有上别人家借琴用了。1782年,他已在维也纳,首次在一个音乐会上弹奏了钢琴。其后自己买了一架。乐史家认为,从这时起,他在写钢琴协奏曲等乐曲时,心里想着的一定是钢琴而绝非古钢琴语言了。

属于他的那一架琴,他去世后由他夫人传给了儿子卡尔·托玛·莫扎特。这架琴上黑白键的颜色恰恰同我们今天的相反。它至今仍然被珍藏于博物馆中。

他的老父是乐史上出名的小提琴教育家,所撰的一部小提琴教程,是18世纪器乐演奏学的三大权威著作之一,至今仍受推崇。但莫扎特虽然因为天资和家教,拉得一手好提琴,却并未像老父期待的那样做个独奏家;钢琴反而成了他后来演出的主要乐器,也是他向听众发表己作的一个得力工具;他演奏的大多是自己的新作。

他演奏钢琴的名气，当时与克莱门蒂并驾齐驱，终乃导致一场乐史上有名的比赛。一般认为是他占了上风，也有认为难分高下的。在谈及此次交锋的家书中，莫扎特似乎少年气盛，不大看得起对手。克莱门蒂那一面对他倒是相当尊重。

莫扎特用"如热油之流动"形容流畅自如的弹奏。他自己就喜欢这样的风格。他反对炫技，反对许多人弹得不必要地快，讥讽有些听众是在"看"弹奏而不是听弹奏。

至于他的视奏、即兴作曲弹奏与背奏能力之惊人，那是自幼已然，有一份资料为证，那是他作为神童在意大利旅行演奏时的一张节目单：

1. 拨弦古钢琴协奏曲。当场视奏。

2. 奏鸣曲。根据临时出示的主题即兴作曲并演奏。

3. 咏叹调。根据当场交给的歌词即兴谱成，并为歌手即兴伴奏。

4. 赋格曲。即兴谱成并演奏。

5. 奏鸣曲。视奏，变奏，再移调演奏。

6. 三重奏。即兴演奏其中的小提琴声部。

这虽是神童的一份证明书，可也是无知庸众对天才的狎弄，开艺术的玩笑！

贝多芬与钢琴

"乐圣"同他用过的钢琴之间的亲密关系，说起来更有味，对我们也更有启示。因为，这些情况对于我们了解他音乐思维的发展，了解乐史，了解人、琴、乐三者之相关、相促，非常有用，可以让我们获得生动的感受。

在贝多芬的有生之年，古钢琴与钢琴之竞争已见分晓。新兴的乐器找到了他这样一位满脑子新思维的主公，真是音乐艺术的幸事。贝多芬对这种比古钢琴强得多的工具也比较中意。

然而他既乐于以钢琴为自己的喉舌（尤其作为一个失聪者，同朋友对话也不得不借用纸笔）倾泻他胸中的万种愁愤；却仍恨其不够理想，把它叫作"这个可怜的乐器"。

其实他弹的钢琴已经羽毛丰满，大大超过了莫扎特用的乐器了，而且还在继续发育成熟。不过，也正是乐人与听众的"满意又不满意"，形成了匠师、乐器制造商们不断研制改良的动力。贝多芬既然总是不满足于自己的作品，也就总是不满意当时的乐器，总觉得未能畅所欲言，不让他"说尽心中无限事"！

他毕生中前后一共用过不同型的钢琴五架。很值得注意的是，这五架乐器同他的钢琴音乐文献之间可以寻出明显的血缘。他在这新的工具上锐意开发，新工具又为他提供了驰骋乐思的新天地，那痕迹往往是相当明显的。

乐史家有云，倘将他于三十一年之间写出的三十二首钢琴奏鸣曲看作他"自传"的史料，那么其中也留下了钢琴这乐器的"传记"材料。

所罗门在一篇论贝多芬作品的文字中说，纵观贝多芬所作，他总是以钢琴奏鸣曲为每一新阶段开路，而以弦乐四重奏曲为这一阶段做总结。既然钢琴奏鸣曲成了每一新阶段的开端，那么每一种音域更宽、性能更好的乐器，便向他提供了这样做的物质手段。

具体地说，波恩时期，也就是他血气方刚的时期，好友华尔斯坦伯爵赠给他一架琴。这架琴可能是奥格斯堡的斯坦因制造的乐器。这种早期的乐器，是不大可能激发他什么新乐思的。卜居维也纳之后，他用过一架只有五个八度的瓦尔特牌钢琴。1801 年，车尔尼到贝多芬寓内弹琴给老师听，所见的即是这架琴。贝多芬在此期间写了第一到第十八首奏鸣曲。

观察这些作品，可以看到，第九首奏鸣曲的第一乐章里，有一处的音乐进行得不大自然，低了八度。第十首中的高音部分也有不大流畅之处。很有可能，这都是受了当时键盘的限制。只要在当时的键盘上再添一个高半音的键子，上面说的这种"高拉低唱"或"低拉高唱"的问题也就可以迎刃而解了。

1803 年，法国埃拉尔厂送给他一架该厂的产品，一架质量优良的名牌琴。它有五组半的音域。不久之后，《华尔斯坦钢琴奏鸣曲》（又名"黎明"）便问世了。新的力量，新的意境！有人觉得，从此曲一开头那反复叩击的和弦发出的轰轰声中，不难想见当年贝多芬是如何陶醉于这种新乐器的新音响。

继"黎明"而来的是"热情"。有人又注意到，曲终处频频使用了当时钢琴键盘上最高的那个 C^4。这里也令人联想到，似乎他当时为自己的乐思可以翱翔于更广阔的天地之中流露出一种兴奋之情。

还有一个有趣的例子，可以说明键盘的"生长"与作曲家的反应。莫扎特的二十八首[1] 钢琴协奏曲中，贝多芬最爱弹的是第二十首。他公开演奏过两次，还为其一、三两章写了华彩段。而在华彩段中，他用了莫扎特当年不可能用的比以往钢琴上的最高音还要高八度的 C^4！

前文中谈到，贝多芬传记片中贝多芬弹奏的镜头非常文雅。但在弹奏强烈的音乐时，显然又会是另一种风度。肯普夫在介绍贝多芬第三首钢琴奏鸣曲时说："第一乐章的呈示部中，突然插进的平行三度走向有管弦乐队全奏的效果。"我们可以相信，1795 年间制造的那种反应敏感的钢琴，肯定会在他那无情的冲击下发抖了。大概由于乐思沸腾，加以听觉不灵等诸多因素，他的弹奏往往使胡梅尔等人感到"粗暴"。或如听过他弹奏的凯鲁比尼所说"粗糙"。也许与此有关吧，他用的乐器坏得快。1810 年间，他又急于要弄到一架新琴了，抱怨道：我的法国琴已经完全不能用了！

1　这是作者当时掌握的情况。据最新统计，莫扎特一生共创作二十八首钢琴协奏曲。

1818 年他得到了一架装有英式击弦机的勃罗德伍德牌钢琴。它是这家名牌厂家的慷慨馈赠，而且千里迢迢地从海外运来，要通过地中海上的港口才行。据当时的报道，一运到维也纳，刚刚卸进仓库，名手们便都闻声而往，想先试为快。莫舍莱斯等人的评论是，声音不错而键压太重。这却正合贝多芬的口味。他不准别人动它，只允许英国调音师为这乐器调音。

此琴拥有扩展了低音部分的六组音，音响也比其他的琴来得丰满。于是乎钢琴文献中之"珠穆朗玛峰"——第二十九奏鸣曲，人们怀着敬畏之情呼之为"106"（作品编号）的，便于此际巍然耸起！

这是贝多芬一生中最后使用的一架琴。他去世后这乐器曾换了几个主人。1845 年，李斯特从一个维也纳的出版商手里获得了它。临终时他嘱咐，把这架琴交给匈牙利布达佩斯国家博物馆。

到了 1992 年，此琴又成了"新闻"。虽遭损伤而已经修复，估值一千五百万镑的这件贵重文物，从匈牙利运到了伦敦展出，由一位新加坡的琴人在琴上演奏了"106"。展出中，一天二十四小时都有人严加守卫。

贝多芬的即兴演奏，在当时众口一词认为是超群绝伦的，有催人泪下的强大感染力。他的学生车尔尼赞颂他的演奏有巨大的力量，前所未闻的光彩。又说，贝多芬的演奏正像他的创作一样，既超越了那个时代，也超越了那个时代的乐器。

肖邦与钢琴

以钢琴为知己，以钢琴为性命，除了歌曲和少数室内乐作品以外，毕生几乎不为其他乐器作曲的钢琴诗人是肖邦。关于他同钢琴的因缘，也有若干事情可得而言。

当时的几种牌子的钢琴，各有其特色。他偏爱的是法国普来叶尔琴。这种琴的击弦机和声音属于维也纳型。维也纳型的琴是莫扎特喜欢用的乐器，而肖邦的音乐性格也是近于莫扎特的。有人形容这种普来叶尔琴的声音特点是银色的音质，音响带一点朦胧。

当肖邦与乔治·桑偕游西班牙的马育加时，当地无可用之琴，不得不老远地从法国买一架普来叶尔琴寄来，颇费了一番周折，最后还得向当地港口官员行了贿才取到货，离去时却又并未带走。他的"前奏曲集"中有一首所谓《雨滴》，这首乐曲的谱成，便同这架琴有点关系。

1848 年在伦敦，他寓中竟放着三架平台琴，三种不同牌子的乐器。除了他宠爱的普来叶尔琴，还有法国的埃拉尔，英国的勃罗德伍德，三大名牌都有了。并非他有那么阔气，那些琴都是厂家殷勤地送上门来暂供大师使用的。可想而知也是一种生意经，为自家产品做广告罢了。有意思的是，寓中纵有三架琴，应酬太忙，尤其苦于一群假斯文的上流女士的纠缠，他抱怨说，害得他无心作曲。房东却借此把他的房租涨了一倍。

他的琴艺几乎是凭着天分自学而成，离开波兰到了巴黎后虽也去请教过红极一时的卡尔克布雷纳，对方一听他的弹奏，大为惊服，竟致自己弹时弹错了音。肖邦终于不曾师从什么人，其实，别人也教不了他。

他的演奏既不炫技，也不炫力，而其艺术之精妙，气韵之高雅，不要说浮华之辈了，即是李斯特也不能及。但多愁善病弱不禁风的他，不乐在大庭广众间抛头露面。终其一生，公开演奏也不过三十回左右而已。

他对自己作品的处理是含蓄不露的。后来的人却往往把他的作品弹得不是狂热过火便是过分温情伤感。人们听到的，往往不是真正的肖邦。

他收了不少女弟子。有时一天要上五节课，每节课收学费一几尼（旧英国金币，值二十一先令）或二十到三十法郎（他开音乐会，门票二十法郎一张）。为了支付马车、仆役以至白手套等等开销，他也只得如此。

据同时代人回忆，当他即兴演奏时，一气呵成，流畅无比；等到事后追忆，再将乐曲写下来的时候，便显得很吃力，有许多的涂改。还有一点，他的作品每经其演奏一回，就会有所改动，出现一种新的"版本"。

诸多因素加在一起，便造成他的作品留传下一些不尽相同的版本。有一些他的作品。当在他为知己们弹奏时，很可能并不是人们今天从乐谱上所见的这种面目。

作曲家同它结下了不解缘

虽然作曲家与演奏家一身而二任的老传统从 19 世纪起已开始变化，但是作曲家离开了键盘，几乎便作不成曲，他们同钢琴已经如人与手足之不可分离了。前述的莫扎特与肖邦两人之事也可说明这情况。

作曲家们有的是在键盘上即兴起草，然后到谱纸上去加工定稿，海顿就有此习惯。许多人用钢琴来检查、审听自己腹稿的效果。有的还在键盘上搜索、探求新鲜的和声。弗朗克自云，他寻觅灵感的办法之一，是在琴上沉吟于巴赫或瓦格纳的音乐之中。

也不妨作这样的比方，钢琴之于作曲者，颇有似于往昔的打字机或如今的电脑之于现代西方文人了。里姆斯基－科萨科夫同穆索尔斯基，有一段时间同住一寓，那里只有一架琴。上半天归后者使用，前者埋头于抄谱、配器；下半日掉过来。晚上琴归哪个使用则临时协商，这正是作曲家离不开琴的好例子。

音乐界的分工，促成了专门演奏家的出现（他们也不是不作曲，有的还作得很多，但不以作曲出名），同时也出现了弹得蹩脚的大作曲家。这在往昔是不大会有的（从前的作曲家，演奏的多为自己的新作，假如不会演奏就难以及时发表和推销产品了）。

瓦格纳便是一例。他年轻时弹钢琴，只是因为被韦伯的歌剧迷住了，一心想在键盘上把《自由射手》中的音乐弄个明白，而又未能多下苦功，后来一生都没弹好。他那蹩脚的弹奏，一到他丈人李斯特（李氏之女科西玛先嫁比洛，后又与他结合）跟前，更成了笑谈资料。他也经常自嘲道：假如我从前妄想当个钢琴家，那前途真是不堪设想！

与瓦格纳并世齐名的标题音乐大师柏辽兹则更奇。他根本不会弹，这在乐史上恐怕是可入"无双谱"了！他反而自幸没学弹琴。认为，这样可使他得免于众多作曲者那种对钢琴的依赖，也省得在写管弦乐曲时受钢琴曲写作的不良影响——此乃指把钢琴曲写法搬到乐队曲中，那是不利于发挥管弦乐特点的——他曾说过："有时也颇悔对弹琴无能，但一想到世间有大量索然无味之作，害得那个不幸的乐器为此挨骂，想到如果那些作品的作者不会弹琴，只靠纸与笔，也就不至于此；又深为感谢这种使自己不得不在静寂中作曲的命运，反而是从手指操作的虐政下拯救了我。靠钢琴作曲是创造性的坟墓。只有二流作者才乞怜于钢琴。"

从他这番话中，我们更可以想见，许多作曲者的确是已经同钢琴不可须臾分离了。

但他对这个乐器绝非无知，也并无成见。从他写的名著《莱利奥还魂记》（即《幻想交响曲》的续篇，其中用了钢琴）中不难知道，他是很了解它的。

情况不同的是《卡门》的作者比才。他钢琴弹得棒极了，尤其擅长的是在钢琴上视奏管弦乐总谱，令人仿佛可以从键盘上听到各种乐器不同的音色。可怪的是，他自己写的钢琴作品却不怎么行，带着管弦乐改编曲常常免不了的浓重，而不够钢琴化。当然，他写的那些精彩的管弦乐作品，并没有受钢琴曲写法的不良影响。

里姆斯基－科萨科夫和鲍罗廷也属于钢琴弹得蹩脚的作曲家，在他们"强力集团"中也是被取笑的对象，这同他并非正途出身或是半路出家有关。

圣－桑弹琴的高水平，曾大为李斯特激赏。他是莫扎特式的小神童，十岁就开了正式的演奏会，节目中有贝多芬的协奏曲，还能让听众点奏贝多芬的任何一首钢琴奏鸣曲。

圆舞曲之王，小约翰·施特劳斯同钢琴的关系相当怪。他弹得很好，然而从来不靠这种乐器谱写他的圆舞曲。有些人认为不登大雅之堂的簧风琴，反倒受到他的宠爱。（最近偶然听到《南国蔷薇》[1]的一种录音，用弦乐四重奏加钢琴与簧风琴演奏，改编者是否联想及此呢？又不能不联想到的是，不弹钢琴的柏辽兹也独独对小小簧风琴感兴趣。他仅有的用键盘乐器独奏的作品，就是为它写的小品三篇。这一组作品也是标题乐大师唯一的无标题音乐！）

同不大会弹的瓦格纳相对照，乐风同他对立的勃拉姆斯，

1　现在多译为《南国玫瑰圆舞曲》。

既是作曲大师（一度被推尊为"三B"之一）又是技艺高强的钢琴家。

在歌剧创作上与瓦格纳不同调的威尔第，十八岁那年投考米兰音乐学院落取，主考人对他的评语有一条是："钢琴弹得不正规。"

德彪西的作品据说全是在贝希斯坦琴上作成的。他是按此种琴的特殊风味来思维的。因此在此种琴上弹他的作品顶合适了。现代音乐怪才普罗科菲耶夫写他的钢琴曲处女作时，才五岁年纪。他进音乐学院本来想学作曲，后来忽然发现，自己演奏自己的新奇作品是一条成名捷径，于是他又去专攻钢琴了。像作曲一样，他不理会学院的正规教学，任性而为，弹起莫扎特、舒伯特的作品来，他总爱加进一些自己的货色。

非音乐者与钢琴

把这话题也收罗进来，是希望读此书者对于钢琴文化的扩展更多一些感受，也对钢琴更感兴趣。

恩格斯自谦只是卡尔·马克思的"第二小提琴"（指弦乐重奏与管弦乐队中的"二提"），这真是个绝妙的比方！他精通多种欧洲语言，这人所共知；但他也爱乐，那就是说他也了解这别一种语言了。在写给卡尔次女劳拉的一封信里提到，自己的钢琴"放在壁炉与折门之间的角落里"，时为1884年。看来那大概是一架立式琴了！可惜我们不知道他是怎样使用这个乐器的。

超人哲学家尼采，完全够得上半个乐人的资格，他写过不少乐曲。有这样一个哲人、乐人与钢琴的历史镜头：他的偶像瓦格纳将要离开日内瓦移居巴伐利亚了，尼采前往话别。看到寓所里已经搬得空空的，钢琴却还在，他坐下来弹了一曲。正在料理着搬家的瓦氏夫妇，不觉便放下手里的活儿，凝神倾听。对于尼采来说，这尊偶像已近黄昏了（不久之后他便写了《偶像之黄昏》）！

"爱智"又兼爱乐的，现代的例子如萨蒂与阿道尔诺。前者不但自己学过琴，而且教人弹琴，但有一些技巧艰深的乐曲，他自认为是力不从心的。后者的水平还要高，是一位深通乐理且能作曲的音乐学者。阿道尔诺有一次弹贝多芬的第十一首钢琴奏鸣曲，在座的托马斯·曼为之击节叹赏，这位文豪也是一位知音者。

大文豪而与钢琴颇有因缘的，最重要的例子当推老托尔斯泰了。虽然在其《艺术论》中贬低贝多芬耳聋以后的作品，说是有如梦呓之不足道，其实此老很喜欢弹贝多芬。自从青年时代起，他便在习琴这件事上花了不少功夫。自云，这也是为了博取异性的垂青。退隐田园后，则显然是真正为音乐所吸引了。田庄的客厅里有琴三台。或独弄，或联弹，成为他夫妇与阖家的乡居乐事。《克莱采奏鸣曲》小说中那个提琴家的生活原型来访时，托翁常为客人伴奏。他的夫人也是乐迷，琴弹得也许还胜过丈夫，因为她日夕弹得比他还多些。他们的长子，是一个专业钢琴家。

再举文人爱琴的当代一例：《日瓦戈医生》作者帕斯捷尔纳克。年轻时候，他对俄罗斯大作曲家斯克里亚宾崇拜得五体投地（斯氏是所谓"三S"之一）。到底是当钢琴家，还是搞文学，曾使他难以抉择。

也曾像帕斯捷尔纳克这样徘徊于歧路的，是大科学家普朗克，量子论的创立者。他同另一位大科学家、创立相对论的爱因斯坦是好友。普朗克不止认真考虑过是否从事钢琴专业之事，他的学术生涯也以一篇论乐的文字开始：《音律纯正的音阶》。有一天，他和爱因斯坦合奏自娱，爱因斯坦拉他心爱的小提琴，他则弹一架小钢琴，乐而忘疲，一夜奏到天明。

画师这一群里，精神亢奋异于常人的梵高，画幅上既燃着火，又响着强烈的音声。而他确曾一度对键盘大感兴趣。他想学弹琴，是要向其中探求色与音之间微妙的相通。

人体美大师雷诺阿也会弹钢琴，即使不能说弹得多么好。他夫人对音乐和他有同嗜。结婚时，画家向爱侣馈赠的新婚礼物便是一架琴。了解这个背景，看他的两张画便可添联想。巴黎卢浮宫藏画中有雷诺阿一幅油画，似不妨题为《双美抚琴图》吧？画中出现了画家们很少画的钢琴，一对姑娘并肩坐于琴前，窈窕若并蒂莲。更有意思者，那琴是带着一双烛台的。今人看到它，会恍然联想到尚无电灯照明的往昔，而觉其古意盎然了！ BBC英语教学片《跟我学》中，有一课幽默小品：家庭教师训导两个女学生学社交规矩，二女联弹的那一架琴，也是这种有烛台的，却又是走了调的！恐怕是在暗示乐器之古老，也暗讽那社交礼仪的老调如同走调之琴声？（不过，带烛台的古老钢琴也早已来到过中国。女琴人鲍蕙荞自幼弹的便是用一百块大洋换来的这种旧琴。）

雷诺阿对于色与音的关系当然特别敏感。他曾说：我要求一种非常响亮的红，像洪钟之声那么响亮。

如此说来，这些爱乐的画人自己弹或听他人弹的时候，心目中想必是万花筒似的五彩缤纷了！

雷诺阿另一幅画了钢琴的画，琴上没有烛台，弹者只有一人。

怎样享受钢琴

对"享受"一词，需要表白一番。听音乐是一种人生的享受，但这种享受同时又须付出代价。这代价首先是要学会听音乐必须付出时间，又要耐心和用脑子。学会了听，你才谈得上享受音乐。但仍不可误解，以为听音乐一定是很舒服愉快的。不然！美国音乐家柯普兰说得真切诚恳：音乐并不是可随你舒舒服服躺下去的安乐椅。

老实说，许多真正深刻的音乐，听了并无欢乐而只有痛苦与深思，但这也是享受。

钢琴音乐的读法

要享受钢琴，首先是听的问题。有一些爱乐者听小提琴、管弦乐很感兴趣，却同钢琴疏远。许多钢琴音乐名作，他们食而不知其味，昏昏欲睡。

金圣叹不厌其烦地写了"西厢""水浒"等才子书的"读

法"，用心良苦。音乐也有读法，钢琴音乐又有其稍不同于其他乐器的读法。

如果说，人们初听各种比较复杂的音乐时，抓不住主旋律，也跟不上它，往往是一大困难的话，那么初听比较复杂的钢琴曲，就更容易在这种困难面前迷途而却步了。钢琴的声音自有其特点，这特点中有弱点：每一个音响了之后立即开始变弱，以至消失，它不可能像弦乐、管乐那样的绵延如线，音与音连接成明显的旋律线，主旋律这条线也比较容易同乐曲中别的音响相区别而不混同。但钢琴上发出的每一个音，像是一个点，点与点之间像是一条虚线，这便增加了听者追随旋律与主旋律的麻烦。所以在倾听陌生的钢琴曲时，你得运用你的听力与想像，把那许多点连成线，而把虚线描成实线。这也好像在把累累之珠用线穿起来。其中的时值较长的音符，不断地渐弱，似有如无，更需要靠你的听力去加描。妙得很，有人说演奏者也得用他的想像力来延长一个很长的音符，以补钢琴先天之不足，有点像中国画的"笔断而意不断"。

当你跟踪主旋律之际，必须让耳朵暂且抑制，不听那些其他的音响（和声、对位）。这就是说，为了听清什么，必须有所不听。在乐曲中，那个主旋律一般是在高音部进行，也比较响一些，所以要听出它并跟踪它并非难事，反复听上几次，那根主要线条便自然清楚了。不过比起听其他旋律性乐器的演奏仍然要难一些。试以舒曼《梦幻曲》一曲为例。也许不少人是通过改编的小提琴曲才熟悉它的。如果一上来就听钢琴原作，你会觉得曲中那条主线不是那么清晰的。一来是因为时值较长的音不可能以开始的力度延续，二来是除了主旋律之外还有衬托它的和声，一些对位性的旋律又穿插其间，这么多声音纷然杂陈，主旋律自然不那么容易抓住了。然而要知道，这才是舒曼此作的本来面目和他设计的效果。那整体效果相当复杂，如果你只听主旋律十分清楚的改编曲，只顾欣赏那条哀伤的主旋律，就未免可惜了。可不要小看这首只有二十四小节的小品，现代派大师贝尔格作了一篇分析它的文章，用了十二页纸。

有时主旋律并不在高音部，而被安在中音或低音部。这时就须调整听觉，稍稍抑制对那些其他声部的注意力，那些都是陪客。李斯特的《爱之梦》第三首中的主题就是以大提琴般的音色在钢琴的中音部分唱出来的，高、低音则为它配上漂亮的花边。此曲移植于大提琴上是很相宜的，就因其主题有此特点，倘用小提琴之类来奏就其味欠佳了。

安东·鲁宾斯坦的钢琴小品《F大调旋律》，人们听惯了的也是改用别种乐器演奏的改编曲，原作也是主旋律在中间声部，高低音只当配角。

又如贝多芬《月光奏鸣曲》第一乐章，临近结束处，原在高音部的主题降到低音上去了，有如远处传来的钟声。

听得有了经验之后，对主旋律可以不必再"众里寻她千百度"了；此时又必须学会去同时综合地感受曲中的和声、对位、织体。这就麻烦得多，也颇吃力，而其味更浓。

假使你不能从贝多芬、肖邦等人的作品中感受其和声之美与力，那就所得无多了。在许多浅俗的沙龙小曲中，和声无非只是在一支好听的曲调上加一点包装，添上一点调味品。但在贝多芬的音乐中，和声与旋律是不可分割的存在，和声也是音乐之流不停地向前流动的一股内在动力。在其后的浪漫派音乐里，和声的表情作用虽然被强化了，然而动力却被弱化了。而到了印象派乐人手中，和声又成了渲染色彩与制造气氛的手段。即使我们没功夫去学习和声学，但我们从倾听中感受和声之力与美，则是并不太困难的。

假使在听《牧童短笛》那首中国风味的小品时，只能抓住其中的一条旋律线，而不能听出那高低两条旋律线的交织进行，那么只能获得很不完整的感受。巴赫的复调作品对你来说将更是复杂无比的一团乱麻了。

听出复调，对心与耳来说是难度大得多的训练，但这种"兼听"的能力，也是可以逐渐学会掌握的。巴赫的四十八首《十二平均律钢琴曲集》，经验不足的耳朵听起来简直像是天书，不过他的《创意曲》集平易近人得多。既然一般的琴童经过练习都能两手独立自主地弹出这些美妙的复调音乐，我们成人也是可以听懂它们的。关键在于学会如何高度集中与适当分配你的注意力。

福克尔这位巴赫传记的作者告诉我们；巴赫将复调音乐比

作一群人聚在一起热烈谈论，人人各抒己见，开头是一个人讲，然后有反对或赞同者，也有的嘿然无语，沉思，有的人自言自语，有些人在对谈……

他讲的是赋格这种复调乐曲。这是相当难懂的音乐。萧伯纳写过一篇以赋格为题的文章，为听弹赋格而入梦的听众画了一张漫画。舒曼也说过取笑的话：赋格是一个声部在另一个声部前面遁走，而听众则在所有的声部前遁走（赋格一词的原义为遁走）！但我们也不必过分畏难而却步，前引的巴赫的话可以吸引我们去听这种神妙的音乐。

学会听主旋律，听对位，感受和声、织体等等，归根到底又是为的读出那篇音乐是怎样做下去的，那中心乐意是如何在对比和统一之中发展演化，像一棵树的生枝长叶，像一座建筑物的由砖石砌成；至于联想其背景，欣赏其意境与风格，思索其内涵等等，那又是倾听音乐的常识，许多赏析家讲过的了。

音乐的读法和文章的读法有许多不同之处，其中之一是，读文章即是我们读者同作者在打交道；而读乐又不得不让一个第三者介入，通过演奏者来接收。贝多芬、肖邦往矣！我们今天读到的只能是演奏者对其作品的演绎。不同的演奏者有不同的演绎。对这些不同的演绎的比较、评价，虽然是谈何容易，但有助于对经典作品加深了解，也使听赏成为更大的享受。对演奏者的技艺、诠释的高下我们凡人难以做出专业性的分析与评价，但往往可以从整体上有所感受，打开眼界，渐渐地也就提高了鉴别力。

所以同一作品要多听几种不同"版本"的演奏，这比起读诗与文来更添一种趣味。听得多了，有了比较，听赏带着评判，比起被动而驯服地听，效果又会不一样。

到键盘上去自得其乐

然而还有比听更进一步的享受期待着爱好者：自己动手弹。

清朝人李渔劝人学作画，有警句云：观人之画是从外入，自己挥洒丹青画你胸中丘壑，是自内出，更有意思。他这话我要借来宣传自弹钢琴之乐。

贝多芬的"月光曲"的第一乐章比较容易听，也比较容易弹。听唱片中的弹，同你自己在键盘上弹，那是很不同的两种享受。当然，一个业余爱好者和一个上了唱片的演奏名手，技艺天差地别，你的弹奏是不足为外人道的。但这是你亲自在同贝多芬交流。通过自己的手指，你直接触摸着巨人的心搏，倾听着他的呼吸，在三连音的潺潺流淌中，你轻声"吟"出那支短小素朴而含意深长的主题。弹到中间，高音与低音相互应和，如同钟鸣与回响，你浮沉于乐流之中，只觉得自己同作者的心更加贴近了。

为什么19—20世纪西方出现广泛而持久的钢琴热？恐怕原因之一便是爱乐者在这个全功能的乐器上自弹自赏获得了极

大的享受。前文提到的那位妇女，六十八岁还迫不及待地买琴学弹，后来弹得也不坏，她并不是想当个专业演奏家。

英国文豪萧伯纳在《钢琴信仰》一文中对当时的一般绅士淑女只知装腔作势弹给客人听大加讥刺。但他却又劝人去享受弹琴之乐，奉劝那些只知在壁炉边耽读司各特、大仲马的青年们：何不到琴上去弹弹歌剧《新教徒》中斗剑的一段音乐，可以获得比读《三个火枪手》更加惊心动魄的内心体验。这正是一个戏剧家又兼乐评家的经验之谈。他虽然从小便泡在音乐声中，长大以后如非嗓音欠佳，人世间会添一个名歌手少一个大文人；但他并未正儿八经学过琴，后来因为写乐评是他的职业，为了深入了解所评作品，便在键盘上去"读"总谱。这也就像 19 世纪人依靠钢琴欣赏交响音乐一样。他在文章中老实承认，自己的指法极不正规，简直是乱弹。然而他常遭到房东的斥责也证明他确是获得享受而不觉忘乎所以了。萧伯纳的榜样大可为我辈业余弹琴者壮胆。

今天有 CD，有高保真音响，名手演奏名曲，人们耳不暇接！但我们如果不甘心只做一个消极被动的旁听者，那就不要放弃从键盘上读乐、参与创造的大享受。

在键盘上读莫扎特、贝多芬、肖邦的作品是一种享受。难度不大，可供选读的小品是不少的。从经典大曲中选取一些技术上容易对付的乐章弹弹，例如《月光奏鸣曲》的第一、第二章，也可尝一脔而知其味。在键盘上读莫扎特、贝多芬的交响乐作品改编曲，比读小品要艰难得多，却是更大的享受。

瓦格纳、李斯特改编的贝多芬交响乐钢琴谱，我们只能望洋兴叹，碰都不敢碰，太难了！但也有比较简易的改编本，例如辛格的一种钢琴谱。

你弹一弹"命运"的第一乐章看，便知这是什么样的享受了。你弹出那自始至终主宰一切的主题，好像自己便是那"命运"在叩门。你指下叩击的声音，显得有一种更生动的活力，比卡拉扬录制的唱片上的更有真实感。这正如李笠翁说的，它是发之于内的。于是你同作曲者神交了，你同他一同创造这音乐了！

当你再继续弹下去时，这个短小精悍只有四个音符的主题在汹涌的音流中向前运动，也在生长，这时弹奏者简直像从自己肉体上直接感知到了音乐激流中的动力。这正是贝多芬音乐特具的音乐逻辑之力，它令人不期而然便进入了兴奋乃至战栗的精神状态之中。

像莫扎特的《g小调交响曲》或舒伯特的《未完成交响曲》等我们听得耳熟的经典之作，再拿改编谱到琴上去读读，自弹自听，那滋味与感受之亲切，绝不是听唱片可以代替的。同时，经过键盘上精读，再去听名家的演绎，你就等于站在一个新的立足点上审听你听过多遍的作品，会有许多新发现、新体验。

没有可能投入大量时间去弹练习曲提高基本功，是成人爱好者习琴的一大困难。但只要有爱乐之忱，有专业人士作些最必要的指点，持之以恒地用适合成人特点的方法硬着头皮弹下去，终有一日会渐入佳境的。多想想那位年已六十八还买琴学的老妇人吧！你那架琴不大可能是世界名牌，但应该想到它比莫扎特、贝多芬当年所用之器先进得多，至不济那键盘也比他们的琴多出一两组音。两大乐圣当年能在那种"可怜的乐器"上谱写、弹奏出那么伟大、可以惊天地而泣鬼神的乐章，我们为何不想在自己的琴上直接听他们的心声并且与之对谈呢？

钢琴乐话

钢琴的创造者不愧是万物之灵！演奏家们也是值得人们倾倒的。钢筋铁骨的一架无生物机器，在他们的指尖下以金色的声音歌唱了。

且慢，如果没有那个作曲家，没有钢琴音乐，那钢琴又有何用？

我们赞美钢琴，只因为这死的东西能传达活人的心声。这才是钢琴文化的起始与终结。钢琴是为了钢琴音乐、也因为有钢琴音乐而存在。

自有此器以来，为它而谱之乐曲有如恒河沙数吧！真叫人听之不尽——却也无须尽听，其中有许多只怕是糟蹋了钢琴的东西，有许多是听之虽无害但不听也不足惜。据说 19 世纪时维也纳皇家图书馆曾苦于吉他谱汗牛充栋，实在无处堆放，只得搬了出来付之一炬。三百年来的钢琴曲，想来也是只愁没处堆放也无法都听。贝多芬的"106"，演奏时间近一个钟头，同他的《第九交响曲》相似，也算得长的了；但这样的作品，再长再难懂也要听！20世纪有位英国作曲家索拉伯吉，所作都技巧极难，而又复杂得吓退听众，除了极有耐心者。他写了一部冗长的钢琴曲，用三至四行的谱表，有二百五十页，十二个乐章，其中包括四十九首一组与八十一首一组的变奏曲与赋格等等，演奏该曲需用两小时。

钢琴文献如此浩繁，我辈凡人只能披沙拣金、取其最精华的来享受。

在走马观花的这本小册子里，不宜妄想编什么"名曲鉴赏辞典"，只能按井蛙之见，从钢琴名作中精选若干不听便可谓虚度此生的神品、妙品、逸品，作一个挂一漏万的"必读书目"与"提要"罢了。

从海顿、莫扎特以来，除了不弹钢琴的柏辽兹，忙于制作乐剧而无暇及此的瓦格纳，还有只顾写交响乐大块文章的马勒、理查德·施特劳斯，一般大大小小的作曲家，无一个不为钢琴谱曲的。打开他们的作品目录，它常常占了相当大一部分。在这当中，爱好者不可不知的，首先是处于钢琴盛世的几个人的作品：莫扎特、贝多芬、肖邦与德彪西。但还须加上一位钢琴世纪以前的巴赫。

用复调进行音乐思维的老巴赫

虽然本书中前已谈过，巴赫的键盘音乐作品，都并非为钢琴而作，但他的大名，他的作品，后来反而同钢琴分不开了。不但他当年为其最后一位夫人安娜·玛格达莱纳编写的《键盘乐曲集》（现在人们叫它《巴赫初级钢琴曲集》），今天没一个中国的琴童不弹；他那些卷帙浩繁、艺术艰深的古钢琴音乐，也是钢琴家们研习与演奏的宝典。因此，在介绍其他人的作品之前，略说一些巴赫的作品。

对于怎样在现代钢琴上弹他的作品，亦即怎样弹巴赫在作曲时意想着古钢琴的那些作品，再现他的意图，忠于乐史：这是一个大有争议的课题，非常复杂而微妙。但事实上两百年来，人们都拿它们当钢琴曲弹，当钢琴曲听了。

从钢琴教学这方面来讲，后代的学琴者真是遥领其赐。巴赫不但是用他的《键盘乐曲集》领大家入门，而且像《创意曲》集中的音乐，实在是训练复调思维与手指独立的极重要的课本。现代演奏大师吉塞金，在一本论钢琴弹奏的书中不厌其详地回顾了自己的老师教他学这些作品的细节。

即使你不弹钢琴，无论如何也应该认识这两本曲集中的小品。那都是极为亲切动人的音乐，是引我们走近巴赫身边倾听他歌吟、说话的音乐；是如此有人性，使你不觉其为三百多年前古人的永远不失其新鲜感的音乐！

熟悉了巴赫的这些小品之后，我们还应该去接触他的其他作品，例如《十二平均律钢琴曲集》中一些前奏曲与赋格。其中有一些也并非是太难以接近的。总之，如果要学会用复调思维听复调音乐，你就不能不听巴赫。

音乐家心中的太阳——莫扎特

莫扎特三十几岁就死了，留给后人的却有六百多号作品。论者多以为，除了歌剧和交响乐以外，最能代表他，显示出所有乐人"心中的太阳"的光华灿烂的，是他的钢琴协奏曲。在二十七部钢琴协奏曲中，后第八、第九部尤为精彩绝伦。假如你没可能全读，那么其中至少有五部，即第二十、二十一、二十三、二十五与二十七首，是不可不听，不可不反复倾听的音乐。

看过本书前面介绍的钢琴生长史，你已经知道莫扎特时代的钢琴还只是初生之犊。想想后来的贝多芬一直把已经大有改进的钢琴叫作"可怜的乐器"，那么可供莫扎特应用的岂不是更可怜的乐器吗！但假如你有一架簧风琴或电子琴，那它们的五个八度的音域，已尽够你在键盘上试弹他写的钢琴作品。当年这位绝世大天才的乐思与十指，也就只能在这区区六十一键之内回旋！同时，那时的管弦乐队也多为小型编制，还来不及膨胀得像瓦格纳以后那样的得了肥胖病。仅靠这件"可怜的"独奏乐器，这样清瘦的小乐队，莫扎特挥洒自如地谱写出了这些协奏曲。今人听它们，何尝有天地迫促、材料不足的遗憾（其中纵然也发现了一些受当时乐器音域局限的痕迹，但并无伤于总体之完美）？人们只觉得自己跟着莫扎特的神思进入了各种各样的境界，岂但不会想到什么乐器的局限，我们也把乐器与技巧等等问题都丢到脑后去了！

听他的《第二十一钢琴协奏曲》，听到行板乐章，我们会恍如置身于一座宏大无极的古希腊建筑之中，一种崇高肃穆之美，把人镇住了，叫人噤口无言！

再如第二十五首，我们又会有观看一台歌剧演出的联想。有人说莫扎特的钢琴协奏曲皆可作歌剧听，这说法未必尽合于不同的听者的感受，人们不妨各从所好，各取所需。但以这部协奏曲而言，却的确可作如是观。从它的第一乐章里，似可听到一群角色之间的热闹的对唱与合唱；听其慢乐章，又极像听女主角的一篇声情并茂的大咏叹调，虽然是无词的。

不过，我们更应该记住的是，莫扎特的音乐，本质上是纯音乐，并非什么有意为之的隐去标题的标题音乐。当歌剧听，虽也未尝不可，当纯音乐来品，才更能尽情享受其美，那是难言之美，赋以形质可能有损而少益。有人指挥、导演其歌剧（最具体实在的标题乐了！）往往还进入了纯音乐境界呢！莫扎特的许多杰作之所以最耐读，愈玩愈熟，愈觉其美妙，原因之一恐怕也正在于此。在 18 世纪以来的大量钢琴协奏曲作品中，他所作的是最耐得起光阴磨洗的经典之作。虽说是"前修未善，后出转精"，它们却大大超越了后来者在更完善的乐器上施展更复杂的技巧的乐曲。不必提那二三流作曲家的产品了，虽然它们在当时是名噪一时的；即使是大师与名家之作，除了贝多芬的协奏曲，很难有可与莫扎特抗衡的。这里面包括肖邦、勃拉姆斯、柴科夫斯基等。虽然他们的协奏曲也成了经典。格里格、拉赫玛尼诺夫、拉威尔等人的作品以其各自的特色也成了常演的节目。至于门德尔松、圣－桑、安东·鲁宾斯坦、里姆斯基－科萨科夫、格拉祖诺夫等人，也都写了钢琴协奏曲；我们有多好的兴致去一听再听呢！而莫扎特的协奏曲，始终是耸入云霄的高峰，人们从来不厌登眺！

若论弹奏所需要掌握的技巧，他的钢琴作品，如今经过几年苦练的琴童也不难弹出来（莫扎特在家书中不无得意地告诉父亲，他的协奏曲中有些地方能叫弹的人出一身汗）。然而正是这种看似平易甚至平淡无奇的音乐，最不好处理，那是对所有钢琴演奏家的试金石。

同协奏曲的味道两样的，是他的钢琴奏鸣曲。这是更显得朴素无华，但却精华内敛的音乐，一种需要好好咀嚼的音乐。笔者常常觉得，这种音乐在一个对莫扎特风格缺乏共鸣的成人的手指下，很可能弹得味同嚼蜡，倒不如听一个乐感天赋强的琴童弹，有时会使人领略到莫扎特天真烂漫的一面。

莫扎特音乐的权威演绎者、钢琴家吉塞金的话，有助于我们体会莫扎特音乐的特点："它最好弹，同时又最难弹（如果你想把它弹得对头的话）。弹他的东西好像并不费劲，一切都很简单自然。""音乐对他来说就像呼吸那样自然。""它的自然之美应该用最朴素自然的方式处理。这时唯一的目的应该是表现洋溢于其中的赞叹的心情，也许还有快感。"

他的话似乎也可以解释，何以幼稚的琴童有时也能弹出莫扎特的乐中之味。

听他的许多作品，你会享受着那种在一片春阳照耀下的绿茵芳草地上漫步的喜悦。

但这种无忧境界并非他的全体，他的音乐中也是有阴霾与风雷的。《第二十钢琴协奏曲》中，甚至隐隐有郁怒的雷声，好像在酝酿着未来的贝多芬的风暴了——无怪乎到了 19 世纪，这部作品被人们弹得特别多，也是贝多芬爱弹之曲。他还特为它配上了两段华彩，后人演奏此作时常常用它，而贝多芬为自己的协奏曲写的华彩，往往并不被人采用。

莫扎特对人世悲欢并不是无知，也不是不识世情冷暖。他只是安详、宁静地出之以蕴藉之笔。有的评论家指出，他的天真纯朴的音乐，其实有极认真的意匠经营，他的艺术是一种不露笔墨痕迹的艺术。

雄辩家贝多芬

听贝多芬的音乐，好像听一个雄辩家慷慨陈词，一个大演员在悄然独白。从前有人在斯大林的传记中诌媚他，说他的语言中有"所向披靡的逻辑力量"云云。我觉得，贝多芬的音乐逻辑才称得上是所向披靡。你从他的乐思展开中可以感受到一股强劲的动力和磁力。你心不由己地浮沉于它的音乐激流之中，被席卷而去。他的音乐逻辑把你说服了，征服了。

据说，在一次演奏会中，一曲"热情"弹完，严肃的演奏家与真诚的听众一同变得气喘吁吁，而也有一种高度紧张后如释重负之感。

我以为，凡是听贝多芬的奏鸣曲的人，如果他始终无动于衷，做一个"冷耳旁听"者，不受这种力量的吸引，那么可能因为还不具备读乐的知识，也可能是贝多芬音乐的不良导体了！

听莫扎特，你欢喜赞叹不能自已，体验着对美的激动。听贝多芬，则是对力的感染，对力的激动，这可绝不是一种轻松的体验！

听莫扎特的钢琴音乐，可以主要听他的协奏曲；听贝多芬的钢琴音乐，则不能不着重听其奏鸣曲。

在三十一年中呕心沥血完成的（他作曲极其艰苦、刻意求工，语不惊人死不休）三十二部奏鸣曲，如同其自传，其自画像，反映着他一生的心路历程。贝多芬的"32"与巴赫的"48"，隔着一个世纪遥遥相对，都是摩天的高峰，灿灿的星座！所谓一个是"旧约"，一个是"新约"，无非是形容其在钢琴文献中的意义重大。

贝多芬这部"新约"圣经，不是那么好读的。对专业乐人尚且如此，遑论我辈凡人！

尽管有诗意浓厚的传奇故事可以激发倾听的兴趣，《月光奏鸣曲》仍然是一篇难以参透的经。它的第一乐章，看上去并不难弹，听起来也好像并不难懂，但它到底是什么意象和意境，从来便有各种各样的感受。其中有一种是认为它是送葬者的一支哀歌。至于第二乐章，李斯特呼之为"悬崖幽谷间的一朵小花"的，既不是小步舞曲，又不像谐谑曲，短短的，寥寥数语而其中压缩了丰富的情绪。第三乐章当然是一场激情的暴风雨，但那种波澜起伏、思绪万千的表白，要想紧紧追随它，比读一篇文学作品困难得多了。

　　争奇竞秀的"三十二峰"，我们普通爱好者是难以一一登临的。特别是他在烈士暮年谱写的最后几部奏鸣曲。尤其是那部"106"，不是任何钢琴家所敢轻于一试的，对于我们凡人听者更是一种严峻的考试。只有高山仰止，心向往之了！

　　那么我们又怎样去接近贝多芬？看一看19世纪以来人们对"32"的接受情况，有助于我们做出选择。

　　最普及的有五六首奏鸣曲，这些作品的耐读已在其漫长的演奏与欣赏过程中被证明。它们也正是我们不可不知，而且应该反复倾听的音乐。即"悲怆""月光""暴风雨""热情""华尔斯坦"（或题之为"黎明"）与"告别"。这些诗意的标题，除了"悲怆"与"告别"，贝多芬都不能负责，是别人想当然地加上去，而听众们也就约定俗成地接受了，其实不足为据。如果老老实实地、望文生义地去想像，反而容易误入歧途。比方听"月光"，就不可去理会那篇贝多芬月夜漫游为盲

女即兴弹奏此曲的故事。那是一位诗人的杜撰。你如能在听时
忘了这故事和标题，反而更好（它的原题只是《幻想曲风格升
c 小调奏鸣曲》）。

　　这几首奏鸣曲，每一首都将我们引入一个不同的境界，而
又都是贝多芬的语言，贝多芬的气派。它们够你倾听、玩索、
领略一辈子的了（笔者自从读乐开蒙，便听"月光"，至今
少说也不止千遍了，始终未曾失却新鲜感，却也不敢说已经
读通）。

　　李斯特是贝多芬的学生车尔尼的学生。他一生中对演奏贝
多芬之作虔诚得令人肃然起敬。从其公开演奏曲目来看，弹
过两次以上的贝多芬奏鸣曲有十首，这十首是：作品 26 号、
"月光"、"暴风雨"、"热情"、作品 90 号和最后的五首（作品
101、106、109、110、111。）如以演奏次数多少来排，"月光"
他弹得最多，遥遥领先，然后是："暴风雨"、作品 26 号（其
中有一章葬礼进行曲，19 世纪的听众一度对这首奏鸣曲有偏
爱）、"热情"、作品 106 号。

　　至于"华尔斯坦"，他没有公开演奏过，但曾教学生弹过。

　　同"32"并肩屹立的是五部钢琴协奏曲（还有一部不算
在内，那是他自己将《D 大调小提琴协奏曲》改编的）。其中
最为听众熟知的是《"皇帝"协奏曲》。其实更有价值的却是
《G 大调第四钢琴协奏曲》。"皇帝"虽然光辉灿烂，雄强无匹，
但更富于个性、深沉而又妩媚的是《第四钢琴协奏曲》。听过

"皇帝",再听"第四",可能会感到:难道这二者竟是同出于一人之手?"皇帝"是一部"英雄"交响乐。而"第四"是一部沉思的交响乐("皇帝"的慢乐章也是英雄们在沉思,但这二者的意境并不相似)。

听这些大块文章,你当然会在心目中树起一尊泰坦的形象,但如果想更贴近这个泰坦的胸怀,触摸其心搏,那么他留下的那些小品又不可不听。三套 Bagatelle(小曲)便是这种可喜可亲的音乐。它们如民谣般动听,如常人讲话般明白。它们是不失其赤子之心的巨人在沉吟自语,自然流露,素朴已极,一听便解,而又极耐玩味,可谓钢琴小品中的极品。

至于那首流传广泛,像《少女的祈祷》一般家喻户晓的《致爱丽丝》,其实也属于这一类小曲。它是有人从他的遗稿中寻出来的,没有编上作品号码。何年何月谱的,也无可稽考了(按勃来特考普版是 1810 年,别版有的标为 1803 年)。令人遗憾的是,如此可珍的一篇纯真之作,也像《少女的祈祷》般遭到太滥的弹奏与漫不经心的听赏,把它弄得油掉了!但你仍可重新发现它是真金,只是要听高手的演绎,而且要像听一首你从未听过的作品一样诚心诚意地倾听。比方威廉·肯普夫的演奏录音,便很值得如此去听,那你才会领略到此曲之真味,也会对贝多芬的性格有新的感受。

钢琴诗人肖邦

钢琴这乐器的知音多矣。要为它从中评选一位最深情的知己，舍肖邦其谁能当之！

别的大师们为钢琴谱曲，总还要写些其他的作品。肖邦除了几篇歌曲，一首大提琴曲，一些室内乐作品，一生中最有价值的音乐灵感全付之于钢琴了。更重要的是，透彻了解这乐器的个性，最善于使音乐钢琴化，又使钢琴诗化的，古往今来唯肖邦一人而已。

这乐器同肖邦简直是合为一体了。他以钢琴为性命，为喉舌，离开它便显得不大灵便。他写的两部协奏曲，其中钢琴部分当然没话说，乐队部分则相形见绌，长使肖邦迷为之叹恨不已。这也像他有好感的歌剧作曲家贝里尼，能写绝美的歌剧咏叹调，而管弦乐部分却平庸无味，似乎是柏辽兹说过："像个大吉他"。

肖邦写的钢琴曲是真正道地的钢琴音乐，音乐的性格与乐器的性格如骨肉难分。他人所作，总不难移植到别的乐器上，或改为乐队曲而不会有多大缺憾。唯独肖邦之作，"就是这一个"，如同最好的中外诗篇那样，不可译，一译便走了味，甚至点金成铁。因此，要欣赏真正的钢琴音乐，就要向肖邦所作中求之。

可以毫不迟疑地向你推荐的，首先是他的《升c小调幻想即兴曲》，一篇作者辞世之后才同听众见面的遗作。曲题后注上的这"遗作"一词，加重了它那"遗世而独立"的曲趣。肖邦写了那么多作品，尽有比它更深刻有力之作，然而挑出这篇介乎大小品之间的作品来，作为他心灵中的一幅自画像，窃以为是合适的。应该说这并非一幅正面的全身像，也比德拉克洛瓦画的那张满面愁容的小影要达观、超脱。如想认识这个钢琴诗人的独特气质和韵致，领略"钢琴诗"的味道，不可不倾听这一曲。也就像如有人问，要认识舒伯特，先听哪一曲，将答以《未完成交响曲》一样。这两位畸零人所谱的这两曲，又有其相似之处。相似在于乐曲中都展示了一种如梦似幻的"无何有之乡"的境界，但其情绪与色调又互不相似。"未完成"绚丽之极，感情浓厚，《幻想即兴曲》的色调与情思只是淡淡的，缥渺而空灵。两者皆非标题乐，都令人只觉得若有人焉，若有景焉，而又不可名状，无以名之！此二作很可以让我们领悟，什么是纯音乐，什么是音乐美。

这位钢琴诗人所咏的并不仅是抒情诗。试听他咏唱的"史诗"，你才知道这位清瘦苍白的诗人精神上的丰富与坚强。他的四部叙事曲，就是境界阔大、气势宏大、感慨深沉的"史诗"。

应该将这几部叙事曲放在波兰被瓜分豆剖的历史背景下来倾听，诗人的怀古之情，亡国之痛，是那么强烈，令人不禁同他一起感慨唏嘘了。不过我们不需要勉强作文学性、绘画性情节的图解，重要的是置身于一种历史悲剧性氛围中，同那位史诗吟唱者交流、同慨。在《g 小调叙事曲》里，我们既听到咏史者所叙述的英雄史迹，同时也感受到咏史者自己的无限怆痛，这部史诗极苍凉感慨之致，这是那种每一听便令人惆怅不已的音乐。

夜曲，当然是他情有独钟的体裁，后来者难以追踪。肖邦的这种作品高贵清华，仿作者即使貌似，也难免有自作多情的沙龙气味。

但像《降 E 大调夜曲》这一首，在其全部夜曲中不好算做上上品，却被弹奏得太多，加上改编得太滥，弄得完全丧失了新鲜感。我想奉劝大家，不妨用心多听听集中其他几篇。有的如南国的良夜沉沉，有的似风露中宵的悄吟独坐，有的却又如此激情迸发，暗示一场深夜里演出的悲剧；夜的氛围是统一的，而又无一雷同。肖邦笔端之夜色，竟有如许丰富的文章好做，也足见国亡家破的悲凉身世，在他心中是怎样地形成了一种"大夜弥天"的心境了！

听《幻想即兴曲》和夜曲这类作品，你如果不觉其"隔"，那么，篇幅短小的前奏曲集中，有些却不是一听便解的了。除了并不晦涩的《小波兰人》以外，《雨点》比较好懂，听者不难一听便进入角色。此曲恐怕也被过多的演奏与随意听赏所损，显得无甚深意了。这有点像磁头已磨损的录音机，声音黯淡一样。但它本来是值得细玩的。曲中的潇潇雨歇与天际轻雷的情境，对于中国古诗词爱好者来说，也许会有似曾相识之感吧？

《d小调前奏曲》，有人赋予它的形象是风狂雨骤中一株瑟缩可怜的小草花。此曲虽小，境界不小，那宏大的气势，作曲家浩茫的心事，钢琴键盘大有容不下之势。这场短暂的暴风雨的震撼力，超过了有些管弦乐曲中制造的大雷雨。

相比之下，"圆舞曲集"显得只是一泓清浅的池水，没有深度、波澜。它们分量轻，可能多少跟肖邦不得不从事授琴而收了些女弟子有关系。华族名媛们付高额学费来受业，无非是再往自己身上添点"衣饰"，那么老师总得弄一些合口味的东西任她们去沙龙中卖弄一番吧？

但肖邦绝不会糟蹋钢琴，此集中仍有妙品，而且是可以置之全集中佳作之旁并无愧色的。格调最高的，无疑当推《升c小调圆舞曲》。而初听之下漂亮得惊人的集中第一首，《降E大调圆舞曲》（一般译作"华丽圆舞曲"，另有一个更漂亮更逗人喜爱的译名是"晶丽圆舞曲"，乃诗人徐迟的译法），可惜此曲略带些沙龙气脂粉气，不大经得起多听。

集中有一首弹奏者与听者似很少留意的《f小调圆舞曲》（作品70之2），颇可细玩。它楚楚可怜，绝无沙龙习气，情韵之美与升c小调那首可称双绝！

肖邦的圆舞曲虽有人拿去配芭蕾，却并非像约翰·施特劳斯的作品那样可以在舞会上跳舞的。它们只是意想中的舞蹈。有意思的是，它们也不都是一种式样的舞蹈形象。科托是一位法国钢琴家，擅长演绎肖邦作品，又孜孜不倦于肖邦作品的编订工作。他有一个说法颇为隽妙：肖邦圆舞曲不都是双人舞，有的是群舞，有的则是独舞。还说，有的圆舞曲应弹出如同依稀梦境中的舞姿云。

据此我们不妨想像，降 E 大调的"晶丽圆舞曲"，可拟想为热闹的舞会中女士们在群舞；而最有风致的升 c 小调那首，只能拟想为一位素女，在梦中独自一个，"起舞弄清影"，顾清影而自怜。

至于全集中其他大型作品，如奏鸣曲、谐谑曲等，那是需要花很大气力反复倾听，才能认识那个比一般人所认为的更复杂、深沉和强力的肖邦的全体。

两部协奏曲，听起来不免像是放长放大了的独奏曲，而徒然多此一举地配上了并不起多大作用的管弦协奏。这就同莫扎特、贝多芬的交响化的协奏曲不好比了。还有一层，协奏曲要求于钢琴者是一种不同于独奏曲的气派，这也同肖邦的气质不相适应。平庸的乐队全奏更是令人丧气，但重写乐队部分或将其重新配器，听众也通不过。此事已有陶昔格等不止一个人试过了。

不过，e 小调的那一部，至少是后两个乐章，肖邦迷决不可放过。虽是他走出国门前的少作，欠几分深刻，倒又少一点感伤，无论如何是有绝大魅力的音乐，其中留下了青年早熟的肖邦的心影。每听这部协奏曲，于心醉神驰之际，对于乐队部分之太不相称更加感到可惜。

更可叹可笑者，当年作者于华沙、巴黎两地演奏这两部协奏曲时，竟然不能像今天音乐会上那样一气呵成地弹完，在两个乐章间被硬生生塞进什么圆号独奏之类的小节目（当时风习如此）。

肖邦的钢琴曲本来不宜于移植改编，后世偏偏有种种改编曲，把原作给平庸化了，而此类改编曲又出奇地多。据查，《降 E 大调夜曲》和《"悲伤"练习曲》是被改编得特别多的。前后由好几位名家（格拉祖诺夫、切列普宁等）参与其事，改编、配器的芭蕾舞音乐《仙女们》，每一听到也叫人觉得不如省此一事为好。话虽如此，这种改编本至少有一种好处：可以对照出原作钢琴化的原味之美。

不可解的是，自许为知心人的乔治·桑，在一篇悼肖邦文中说什么将来他的作品将被人改编为管弦乐曲，而世人也将更加认识他的天才云云。可见得，知心者未必真知其乐！

评价或有高低上下之别，但不喜欢肖邦的人应该是极少的吧？然而竟有很讨厌他的，而且是大大有名的乐人。旧俄"强力集团"中人，贬肖邦为"神经质的交际花"，说他的作品大部分"如漂亮花边，除《葬礼进行曲》以外一无可取"。

钢琴画家德彪西

听惯了古典、浪漫主义，一旦新识德彪西，几乎有一种不能适应的陌生感。这也有点像看惯了浪漫主义以前的绘画，第一次看到印象主义作品时的感觉。

钢琴到了德彪西手里，似乎连音响都变了个样。无论从作曲还是演奏上，都开发出新效果，生出了新意，真是别开生面！

这是个钢琴画家。钢琴就是他作"音画"的生花彩笔。

他所作的"画"和当时的印象派的画相通而不尽相同。假如说，莫奈等画人作画时，并不讲求甚且是有心回避了诗情诗味，却似乐人作纯乐一般在为画而画的话（试向《稻草堆》那一组画中寻求诗意看！）；那么，德彪西以键盘为调色板，渲染出钢琴上的"音画"，则是画中有诗的。然而它已非复往昔传统的诗，而近乎象征派之诗了。

"月光"是其《贝尔马斯克组曲》中的一篇，虽然是他早期之作，有脱胎于传统的痕迹，算不上道地的印象派音乐；同时它也属于那些被弹得太多、听得太熟因此有损其芬芳的作品之列：但仍值得我们认真重读，从此处入门去见识德彪西。

此作旋律典雅，和声清秀，织体要而不烦，一一融化进钢琴音响独具的韵味中。它带着象征派的诗意，并非单纯的一帧月夜小景。这篇逸品也像肖邦的音乐那样，不好"译"，虽然有好几种"译本"差强人意，仍以听钢琴原本为妙。

《水中倒影》则是名副其实的印象主义"音画"了。只它那曲题便是一幅景物画的画题。但它虽逼似印象派人的画，而又超越了静止的"定格"的画面效果。曲中孕育着、展现着不可捉摸的"动",而这"风乍起,吹皱一池春水"的变化多端的"动",又终于画出一个极大的"静"来。"蝉噪林愈静,鸟鸣山更幽"是中国诗人的感受;西方文人房龙回想幼时登上教堂塔楼,发现一种"可以听得见的寂静";德彪西又以音响描出此境,这真是中、西、古、今同此会心了!

　　十二首一集共有两集的《前奏曲集》,都是乐中有画、乐中有诗。试看那些标题:《月落荒寺》《夕甚的音与香》《叶底钟声》[1]……从前,门德尔松写《无词歌》,既无言,也无题——除了少数几篇;现在德彪西给每篇前奏曲都加了曲题,却又故弄狡狯,把它移到曲终处,让初读其作者胸无成见地先听,最后再同他所题的去印证。

　　说实话,两套前奏曲,尤其后一套中,有若干首是不好懂也令人觉得颇为晦涩的。有一些则不难接近。可能我们也并未真解其意,甚至只不过以歧义与误解去认识它,但这也无碍,他的音乐正是非常容易触发不同听者的各种不同联想的。

　　《亚麻色头发的少女》这篇前奏曲,既好听,也似乎好懂,通俗得很。它如同给你一帧人像看。但它不似印象派画家所作的有些人像,往往带着一种漠然的神气,而是浸透了某种脉脉的情思,淡淡幽幽的惆怅。它诱人从画中人联想开去,构

1　现多译为《月色满庭台》《飘荡在晚风中声音和香味》《透过树叶间的钟声》。

想出一篇可哀的人生小悲剧（例如鲁迅的《伤逝》，或他为之写了极富同情感的《淑姿的信》的序）。

《原野之风》大概可以看成是纯粹的音画了。试想，即便是最工于捕捉瞬间的光与色的印象派画家，要他们用画笔去捕风捉影，也只能显出绘画艺术的有所不能。音乐写风却方便，它可以以流动写流动，然而又很容易流于肤浅凡俗。

德彪西是画风的高手。他不但比只能间接地表现风的画家们高明，而且脱出了此类音乐中前人的窠臼。他画得空灵！听他这篇风的小品，中国人应该联想起我们的《庄子》中说风的那段天下之至文吧？

德彪西写庄周说的"大块噫气"，像是刚刚"起于青萍之末"的风，泠泠然的，清新之极！你仿佛在听风的同时也感觉到了原野的空间，感受到了自然在呼吸，空气与草木同在颤动。

他的弹奏也开了新生面。他在谈自己的作品时说：与其说是人弹琴，不如说是人与琴的交谈（大似中国七弦琴学中"人琴合一"之意味！赵晓生教授在所著《钢琴演奏之道》中对此有发挥）。因此，钢琴在他的曲中与指下发出了新声。踏板在他脚下也真正成了钢琴之"魂"，再不只是"添一只手"的作用了。通过对踏板的妙用，他将琴弦上的泛音与共鸣调制出了新的音响，更丰富的色调。

《沉没的教堂》是他的一篇力作。在谱上，他不像一般钢琴谱那样只标上记号以指示应踩应放哪个踏板，还直接用文字提示，要求"雾一般的和声""柔和而流淌""从雾里渐渐浮现"，等等。

他是在调色板上调制颜料，他是在选词炼句，一言以蔽之，德彪西在钢琴上吟诗作画！

以上从巴赫说到德彪西，不过是以点代面的草草一瞥，但钢琴音乐的美不胜收已可见一斑。当然，钢琴音乐世界的风光又岂止这些！

行吟即兴的舒伯特

不能为舒伯特的钢琴音乐专题细说，是很对不起他的。他的大型作品自然也应列入"必读曲目"中去（可惜不太好懂，否则也不会迟迟才收进现代演奏家的保留曲目）。他的小品，则是既不难懂也永不失其新鲜感与魅力的乐中珠玉。

比方说，《f 小调音乐瞬间》这样一首小曲，才不过五十四小节，三分钟左右便完了，真是音乐中的小不点儿。但你听听威廉·肯普夫的精湛细腻的演奏录音吧，三分钟的音乐里竟包容了如此丰富的情绪与不同的明暗层次！

而其即兴曲之美妙更是一言难尽了。在作曲似是流淌而出的这一特点上，最像莫扎特的就是舒伯特。也许可以认为，他的音乐才真正是流淌而出，不假雕琢的。也许不够洗练，也许爱讲重复的警语，但是绝对的率真，而其中蕴含了听之不尽的意味。

舒伯特如同一位"隐者自怡悦"的行吟诗人，他在大自然里信步所之，诗兴勃发，不能自休。他的钢琴诗，诗风又同肖邦的很不相似。风格即人，一点不错，一听其乐，如见其人。我们听莫扎特、舒伯特与肖邦的音乐，也看到三张自画像。一个在草地上嬉游的大孩子，一个工愁善病的旅人，舒伯特则用他自己的音乐反映出一个极平易可亲的忠厚老实人的面貌。

鱼目与珍珠

19 世纪以来，器乐小品大投听众所好。这一方面有负作用，造成大批沙龙小曲的流行，降低了钢琴文化的素质，使之庸化；另一方面当然也有利于钢琴文化的普及。

钢琴小品中鱼目混珠，我们需要善于鉴别，择其善者而赏之。

从许多小品的流行中，也不难看出听众口味与素养的变化。19 世纪后半时期以来，某些小品先是大受赏识，然后别的作品又代之而兴，简直像今之流行音乐一样。旧俄作曲家兼钢琴演奏家拉赫玛尼诺夫，去世五六十年了。他的几部钢琴协奏曲，至今仍拥有大量的听众。他有一篇小品，《升 c 小调前奏曲》，在 20 世纪 20 年代成了非常风行的钢琴曲。由他本人弹奏录制的七十八转粗纹唱片，直到 20 世纪三四十年代仍在销行。此曲用四行谱记写，一眼望去令人不敢问津，其实不是十分难弹，因为只是用延音踏板支持的八度重复，形成一片沉重的轰鸣。主题的多次反复，听起来像是不停地敲着丧钟。不难联想到十月革命后流寓异邦的作者的心境。这样一首无甚深意的小曲，不知当年何以会引起那么多人的兴趣！

从 19 世纪以来，论流行面之广，流行时间之长，前文中曾提及的那首《少女的祈祷》当首屈一指。它的单张乐谱，销数大得惊人。对它有印象的也不限于沙龙中客。

中国在"文革"后有一段时期，它也成为国内许多爱好者弹不厌听不厌的宠物，大家恐怕还记得。

许多小曲，只要看曲题，还有曲谱上一望而知的一些套套，便可以把它归到沙龙曲中去。如《花之歌》《寺院晚钟》[1]《鸟惊喧》[2]《奄奄一息的诗人》[3]《阿尔卑斯少女之梦》……这一批温情脉脉似雅实俗的小品，今天恐怕少有人问津，听的人也只剩下历史兴趣了。好雅音者，自会去听严肃音乐作品，爱听俗调的，又会嫌其俗得还不够吧。如果有想从这些小曲中去追怀往昔爱好者的口味与鉴别力的话，可以从《钢琴名曲二百七十首》里翻到它们。这本在第一次世界大战前出版的通俗钢琴谱集，是一个叫维尔的美国人编的。从 20 世纪 30 年代起（也许还要早）便输入了中国。直到 20 世纪 80 年

1　现在多译为《修道院的钟声》。

2　现在多译为《夜莺在歌唱》。

3　现在多译为《诗人之死》。

代，仍然是凡有钢琴的人家似乎必备一册的谱子。人们呼之为"Msterpiece"（杰作）。此书也算得钢琴文化的一件小古董了。虽然名不副实，选得杂七杂八，原版印错处颇多，影印的一仍其误；但平心而论，不能说它一无是处，包括其中保存下这许多过时的沙龙曲这一点。

小品中的凡品、下品，不听并不足惜；作为参照对比，以提高鉴别力，听听也有好处。小品中的上品、妙品，那是不可不听的，不要以其小而轻之。有的小品正像大型之作一样（甚至更加能）代表其作者。

《春之歌》这首小品，就很能代表门德尔松清新雅洁的乐风。这是《无词歌》中的上上作，一颗晶莹的明珠！此集中的妙品还有《五月轻风》。听它时有人不禁忆起残唐五代诗人杜荀鹤的佳句："风暖鸟声碎，日高花影重。"你会感到那薰风送来的暖意。

集中值得倾听的，还有《纺织歌》。有趣者，有人将其换了一种意象，改题为《蜂之婚礼》，听起来似乎更切题，更妙。还有几首《威尼斯船歌》，这是作者自题的曲名，而其他的题目都是别人拟的。

柴科夫斯基所长在管弦乐曲，不在钢琴音乐。他为这乐器所作的大曲不多，但他有使人不能忘怀的情真韵美的小品。《四季》一集中，有几首是很耐玩的。例如《白夜》《秋之歌》。最出色的是《三套车》，或译作《雪橇》。它是情景交融的一幅北国风光画，但其北国风味又与格里格的作品是很两样的。这是典型的俄罗斯味。如其你也是旧俄文学的嗜好者，那柴科夫斯基的这一篇篇小品，都可成为你读过的文学作品中的"插画"；用这些音乐当作配乐来陪伴你读普希金、屠格涅夫、契诃夫，真是再好也没有了！

关于李斯特的作品，似可无需多话。人们弹得多，听得多，"文学传记""鉴赏资料"中也谈得够了。他那些作品，有一些初识其面时真令人惊为绝艳，听的次数一多，又不免有脂粉稍重、华而不实之感。有的是初读气势非凡，不久便觉其鼓努为力、不耐咀嚼了。

然而不应以局部概其全体，李斯特是相当复杂的多元体。他是一篇复调音乐。他是浮士德加梅菲斯特！所以他的音乐也是浮华俗艳与深沉朴素交杂的。

就小品而言，他有二作绝美，不听，不足以知钢琴音乐之妙。

一是篇幅不大的《安慰曲》第三首，一是像中篇小说的《降 D 大调音乐会练习曲》(一称《叹息》)。都是充分钢琴化的作品，亦即难以移植到别处的音乐。前一首无技可炫，轻描淡写；后一篇有炫技之用，而闭目听来毫无炫技之感，这是因为那技艺已经为乐所用，为美所化了！

此二作都堪称高华脱俗，乐中有一个厌弃了尘世浮华沉思冥想的李斯特。这不也有点像我们的弘一法师李叔同吗？

民族风味

钢琴的诞生地在意大利，成长在英、法、德、奥。因而钢琴音乐本来主要是这几个民族的风味。逐渐地它为欧洲其他民族所用，乃使钢琴音乐中出现了别的民族风味而更加多彩多姿了。

《培尔·金特》组曲的作者格里格，让钢琴唱起了北国新声。他的《a小调钢琴协奏曲》曾受李斯特的激赏。那是一种一听便感到风味特殊的音乐，虽然作者无意于景色的刻画描绘，但在我们听者的心中，峡江之国的独特风光却如在目前，有时别是一种严峻，有时又别是一种明丽。

同样别有风味的是他的一篇小品，《致春天》。其中境界清寒沁骨，然而又隐隐透出了春天的消息。

听格里格这些作品，应该佩服德彪西对此公的绝妙好评：如嚼埋在冰雪里的糖果！

他的同国人辛丁，有小品《春天的声音》（也不妨译为《春风瑟瑟》，或者索性依其曲趣意译为"春之消息"）。虽然听起来令人总觉意犹未尽，不过瘾，却也满含着北国的冷香。

北国的琴音是清凉之音。南国之声则是暖的，有时是热气腾腾的。西班牙的德·法亚、阿尔贝尼兹和格拉那多斯，写了许多这种热呼呼甚至热辣辣的钢琴音乐，这种音乐听了不但能令人感到地中海的阳光、薰风，而且会不觉手之舞之，足之蹈之！例如法亚的《火之舞》。

李斯特的《匈牙利狂想曲》，人们已经耳熟能详，虽然并不能算是道地的匈牙利民间音乐风味，也是蘸着点民族色彩写的大师之笔。要欣赏更道地的，还得听巴托克和柯达伊的。

处于北国之冷与南国之热之间的，又有德沃夏克笔下的波希米亚音乐的温暖。他的两套《斯拉夫舞曲》集，透过那民族色彩，可以感受到极为真挚纯朴的感情，是很值得倾听的。

炫人耳目的音乐

在键盘上玩"杂技"，19 世纪中一度甚嚣尘上，颠倒了大批的听众（也便是莫扎特所说的"看音乐的"）。这类作品，虽然没有多大听赏价值，但也可以让我们对这乐器增进了解，知道它有那么大的能量，也知道人有那个本事驯伏它，驱使它，制造出如此炫人耳目的效果。炫技音乐与演奏，对于乐器的改进，作曲与演奏技巧的发展，都起了作用，功不可没。

谈到炫技性钢琴曲，不能不再提李斯特。他写了好些这种作品供他自己在音乐会上大显身手，如《超级练习曲》《帕格尼尼大练习曲》等等。

大家最耳熟的恐怕是那一首《钟》。这是从帕格尼尼小提琴协奏曲里移植过来的。顺便一提，此曲曲名，译为《小铃铛》更符合曲意。西方有铃乐，由一至数人运用一套组成音阶的小铃演奏。李斯特的改编曲，听上去似乎比小提琴原作更能写声。听时，不妨留意一下曲中的许多同音快速反复。这是同前文中提到的埃拉尔发明的"复震奏装置"大有关系的。无此发明，这种清脆悦耳的铃声效果便做不出来了。

钢琴之王也不是稳坐江山的。他那时代是炫技之风大盛、英雄辈出的时代。有的人一时间还比他风头更健，大有向钢琴之王争坐夺席之势。其中有个泰尔伯格更是咄咄逼人。李斯特似赞似嘲地说"他是在钢琴键盘上拉小提琴的"。

此公的拿手好戏是用双手的大拇指在中间音区弹出如歌的漂亮旋律，与此同时，在高音和低音中配以华丽的装饰。为此他喜欢用三行谱记他制作的这种乐曲（中间一行记主旋律，其他两行记伴奏部分），而他也在捧场者中赢得了"三手人"的雅号。他的技巧确是不凡，有惊人的 Legato（圆滑奏），很懂得使乐曲充分地钢琴化。作起曲来也产量极高，有一套作品共有六大本。他用通俗歌曲《甜蜜的家》编配的一篇变奏曲，当时不知风魔了多少听众。直到后来还有这样的趣闻，有个叫贝林格尔的小钢琴家，每演此曲，必被听众要他再来一遍。没完没了的返场演奏，害得此人夜里大做恶梦。

可悲的是，泰尔伯格之流引起的"发烧"不止是威胁着钢琴之王而已，人们也觉得肖邦的作品没有多大听头了。好在"不废江河万古流"，而今熟悉泰尔伯格其人其作者，又有多少？

可厌者还有那么一些演奏家，在演奏严肃的经典作品时也乘机卖弄，乱加花样。肖邦之作也未能幸免此厄。有人弹他的《"革命"练习曲》，把本来就是飞快的乐句用连续八度弹奏。

还有人弹《小犬圆舞曲》，到结尾处将音阶型经过句变成一连串的三度双音，以炫其能。

哗众取宠的炫技肯定是不可取的。莫扎特很看不惯他那时的听众"看"演奏，而不是"听"演奏。不过，据说巴赫也在即兴演奏时加进一些炫技性的段落。在大师的演奏中，高难度的音乐被得心应手地表现出来，也往往可以显示一种奋发高扬的精神状态，受到感染的听众也得以分享其愉快。

四手联弹与改编曲

钢琴这乐器与众不同。不但可以一琴独弹，一个人独奏"交响乐"（改编曲），而且还可在一琴之上几人共奏，又可在数琴之间形成不同组合，这就使其得以发挥更大效用，有任何其他乐器所不及的优势。

先说四手联弹：二人并肩同坐于一琴之前，共演一曲。其中为主的那个，弹键盘右边的中音与高音部分。另一人则负责弹左侧的低音部分。我们非常熟悉的一张莫扎特的画像，正是他姐弟两个童年时候在古钢琴上四手联弹的情景。细看又可见两人正作两手交叉弹奏的动作。

增加一双手，二人分工协作，可以充分发挥整个键盘的能量，不仅音响更宏大丰满，织体也可以更复杂细致。这对于弹奏乐队改编曲尤为有利。例如，贝多芬《合唱交响曲》慢乐章的钢琴独奏谱中，有一段因一双手照顾不了，只得省掉了一个小提琴声部的旋律。其实，这一声部在织体中相当重要。改成四手联弹，便可无须割爱也便无此遗憾了。

十八、十九世纪时，交响音乐与歌剧的钢琴改编谱特别盛行，正说明了联弹的用处。海顿、莫扎特的交响乐，全部被改编成了联弹谱。甚至如巴赫的《马太受难曲》、海顿的《创世纪》那么复杂不大好改编的大作品，也有改编本。李斯特的全部交响诗是由他自行改编为钢琴谱的。近代管弦巨制中如理查德·施特劳斯的音乐，圣–桑的全部乐队作品，和声织体繁复如瓦格纳的《特里斯坦与伊索尔德》，庞然大物如前人的《尼伯龙根的指环》乐剧，居然也有改编的全本！

今人可从录音中原汤原味地咀嚼原作，当然无需有求于改编本了。对比原作，改编本像一部文学名著的缩写简化本。从配器角度来说，又像彩色画翻印成了单色的。但也有非常高明的改编本，其自身取得了存在的价值。李斯特与瓦格纳改编的贝多芬交响乐便是如此。李斯特改编的《阿伊达》（威尔第的歌剧）和《死神之舞》（圣–桑的交响诗），论者也以为是杰出的。从后一曲中，还可发现原作所无的新意。

有一个关于改编曲的例子，更是令人感到不可思议，但这是舒曼报道的，无可置疑：在某一次音乐会上，《幻想交响曲》演奏之后，李斯特登台独奏了其中的《断头台进行曲》[1]乐

1　现在一般译为《赴刑进行曲》。

章，感染力之强竟然比原作有过之而无不及！

联弹也不是只为了弹改编曲，专为此种组合而写的音乐，也不在少数。大家听得烂熟的舒伯特《军队进行曲》。其实是改编的独奏曲，原作是四手联弹曲（另有一种陶昔格改编的独奏本，是专为演奏家加工的，华丽得有点过火）。这正如常听的勃拉姆斯《匈牙利舞曲》也非原貌一样，原作也是联弹曲，后来流行的却是改编成乐队合奏或小提琴独奏的版本。也有简化了的钢琴独奏本。格里格的《挪威舞曲》，原来也是四手联弹曲。

除了在一架琴上的联弹，还有两人各用一琴的二重奏，不消说得，这又让作者与弹者获得了更大的用武之地。这一类中有个特殊的例子：格里格为莫扎特的四首独奏的奏鸣曲加上了重奏部分，成为双钢琴奏鸣曲。

联弹、合奏的练习，既有助于弹奏技术的加强，也丰富了学习者的乐感，而且又是一种有趣的音乐交往活动。18世纪有个英国人伯尔尼，据他报道，那时的女士们联弹时，用鲸骨裙箍撑着的裙子，常常会妨碍彼此的弹奏而弄得有点尴尬。

从独手到多手

钢琴弹奏还有多种有趣的变体。按使用人手多少的顺序来讲，首先是"独手操"（仿刘天华二胡曲《独弦操》之意）。这主要是指左手独奏。只用一只右手的反而很少。这种独手

弹琴，倒不一定都是为了炫奇，有时是出于实际需要。天生
残疾和因伤致残者，便需要这种乐曲。李斯特有个门徒，也
是匈牙利人，是一位独膀子钢琴家。他编写了一部左手练习
曲集，大师慨然为之作序。（李斯特的老师车尔尼也有《左手
练习曲集》，其用处却只为了有两只手的人锻炼那只较弱的
左手。）

独臂演奏家还不止这一个。20 世纪有位琴人，在第一次
世界大战的疆场上受伤，不得不锯掉右肢，拉威尔那部《左手
钢琴协奏曲》即为他而谱。

有一种巧妙地运用这一形式作成的左手独奏曲，则更有独
特的艺术价值，连双手俱全的演奏家也喜欢表演。这便是用巴
赫的《恰空》改编的钢琴曲。原作是无伴奏小提琴套曲中的一
章，是巴赫的也是全部小提琴文献中的煊赫名篇。改编它的不
止一人，勃拉姆斯、布松尼[1] 都曾写过。

以上是用一只手的。双手与四手的乐曲不须再说，三人联
弹极少见。巴赫之孙 W. F. E. 巴赫写过一首，让三个人挤在一
架琴上弹。

还有更滑稽的四人联弹。作者沙米娜德，一位多产的女
作曲家，常见于一般钢琴小曲集中的《头巾舞曲》，即是她的
作品。

1　Busoni，现在多译为布索尼。

　　堪称"练习曲博士"的车尔尼，也作过一曲，每四人一琴，在四架琴上合奏。此外又有人作过十六人用八琴合奏之曲。

　　1869 年在巴西的里约热内卢，美利坚音乐怪才葛次巧克的"巨怪音乐会"上，由三十一人同奏十六琴。百多年之后，1984 年洛杉矶奥运会上有规模更大的八十四琴大联弹。

　　过分地增加乐器数量，并没有新鲜效果，虽然好像阵容不凡，也容易叫人觉得虚张声势。（配器大师柏辽兹讲过：吉他"数量增多，反而不利，十二个吉他齐奏时，音响就近乎可笑了"。）

　　这类噱头，乐史上还有一例。是一场不同寻常的六人联奏。其做法又不同于一般的联弹。时在 1831 年，巴黎的一场义演慈善音乐会上。出台的六人全是大师：肖邦、李斯特、车尔尼……各据一架钢琴，由李斯特先弹一段引子，其他几位挨次各弹一篇变奏曲，主题是大家公用的，这各篇之间的连接部分与最后一段尾声，也是由李斯特总其成。后来还出版了这一套连奏曲集。

钢琴何往?

　　印象主义以后，钢琴向何处去？不少论者对于现代派乐家把钢琴几乎当打击乐器来使用，深为不平。现代钢琴音乐中的确有此现象，但打击乐化显然还不足以概括新情况。从无调性、多调性、与爵士乐杂交混血，使用"加料钢琴"和以各式各样的工具代替手指，强迫钢琴发人们闻所未闻之奇声怪叫，直到那种似可尊之为外国"鸳蝴派"的形新实旧的沙龙钢琴曲，不一而足，一言难尽。其中当然有新的开发，新的追求，并非都是欺人之谈。但是习惯了钢琴的老派美声唱法的听众，要从新声中听出道道，需要大大地调整你的音乐思维、听觉和忍耐力。不管如何，晦涩费解的音乐，同样可以成为对往昔钢琴文献的反衬，也仍然可以证明这个乐器历三百年而生命力犹存。

钢琴同乐队的关系

说来有些奇怪，如此多能，如此重要的这种乐器，在集管弦乐器之大全的交响乐队的常规编制中，从前并没有它的一席之地。

回顾乐史往事，这更显得奇特。前文中早已交代，巴洛克时期，古钢琴在乐队中是不可缺少的一个重要角色。功能远胜其先辈的钢琴，反而长期未能进入乐队——在钢琴协奏曲中，它同管弦乐队之间的关系是敌体而非臣属。从海顿到理查德·施特劳斯，在他们的交响乐曲总谱上，难得见到钢琴的声部。（很少的例外如法国乐人文森·丹第的《山歌交响曲》。）

柏辽兹不弹钢琴，也不曾为它作曲，但绝非对它无知。他的名著《配器法》，其正文与理查德·施特劳斯所作的增补，读起来令乐迷不忍释手。他们两位对各种乐器怀着那么深的感情，难怪都是配器大师！柏辽兹在书中也论及钢琴的配器法，说"它一方面可当作乐队乐器之一"，"它本身又可当作一个完整的小型乐队"。如果当作乐队中的一种乐器使用，"在乐队的全奏中使音响增加了新因素，这时它那特殊的音响效果是不能用其他方法来代替的"。

他有一部叫《莱利奥还魂记》的音乐，是为乐队、合唱队与幕后独唱者写的，形式颇为特别，其中便使用了两架钢琴来伴奏空中精灵的歌声。他说这正是他所需要的音响，"再没有任何其他乐器能像钢琴那样易于产生这种谐和的营营之声了"。

有意思的是，在柏辽兹批评演奏名手不尊重作者的指示，滥用踏板、污染和声时，编注者施特劳斯在脚注中应和道："上述责难，对许多指挥家也同样适用！""金玉良言！"

遗憾的是，他这部作品我们无缘听到！但要了解钢琴在乐队中的效果，可举常见的两例:《罗马的喷泉》与《罗马的松树》，都是意大利作曲家雷斯皮基的名作。

在《罗马的喷泉》第三乐章中，钢琴的和弦同管风琴、竖琴融为一体，用一种非常浑厚的音响波动着，给人以奇异的感受，像是自身已处于海洋深处。

《罗马的松树》末章中，写的是在古罗马大道上远征归来的大队人马，自远而近地进行着。脚步敲击大地，殷然如雷。

听它，首先会想到的当然是吉本的《罗马帝国衰亡史》，也可能联想到福楼拜的历史小说《萨朗波》中一个光怪陆离的场面。这篇音乐的配器，钢琴低音的加入，有令人难忘的效果。

圣-桑的《动物狂欢节》中，两架钢琴加入了乐队，担当了重要角色。他这套节目像是"动物漫画集"，其中，忽又加上一节《钢琴家》，自然更用得上这个乐器了。全曲中最有价值，或者说唯一可听的是一篇《天鹅》，高雅华贵的大提琴主旋律，勾勒出黄昏暮色中悠然远去的白鸟，划水的律动与形象，则由钢琴的音型传神：这位早慧、多才、高产的二流大师，即使只有这篇小品也可不朽了！（不过，其中钢琴如换上竖琴，岂不更妙？）

到了现代管弦乐作品中，起用钢琴的例子渐渐多了。随便举些例子：格罗菲《大峡谷组曲》中制造的大雷雨效果，有一处用了钢琴上的刮奏。斯特拉文斯基在其交响乐与舞剧音乐中，也把钢琴派了用场。因此可以说，事实上它已成了现代管弦乐队的一名成员。

钢琴似乎有点受了委屈。但也有另一种有趣的情况，是乐队反过来有求于它。一支规模不大的乐队，没有条件拥有价值昂贵、演奏者也相当稀缺的竖琴，而又要演出总谱上有它的作品（偏偏有不少滥用此一乐器的作曲者），这时候，钢琴也就很现成地成了顶替者：虽说效果到底有出入，主要是音色的问题，而竖琴上轻而易举的滑奏，由钢琴代庖也味道两样了。

当初管弦乐队在中国还是稀有事物时，萧友梅在"北大"的"音乐传习所"苦心创建了一支小小的乐队。论其编制规模，还够不上莫扎特时代的水平。最为难的是乐器和演奏者的缺少。他们演出贝多芬的交响乐等乐曲，往往不得不借重钢琴作为替身来拾遗补缺。这是无可奈何的穷办法。试想，在一首本来并不安排它的管弦合奏曲中，硬要塞进这位不速之客，其效果之不能令人满意是可想而知的了！

洋琴在中华

硝烟方歇，洋琴入华。

这并不是虚拟出来的历史电影的蒙太奇，而是有文献资料可证的。鸦片战役之后，中国门户洞开，舶来品潮涌而来。洋货中不光有吃西餐大菜的刀叉餐具，竟还有一批笨重的洋琴。一心要抢喝"头啖汤"的"夷商"，昧于中华的国情，这回干了蠢事。刀叉、钢琴都无人问津，再运回去也不划算，折了大本。（这个历史笑话见《中国近代史资料丛刊·鸦片战争》第一册第 13 页。）

想当年，虽然没有中国买主，那些踊跃来华的洋老板和教士们家里，总该有此乐器。因为，那正处于钢琴三百年的中叶，正是它兴旺发展之时。可惜的是我们翻阅那时中国士大夫的诗文，看不到对这洋人奇器的记述。还得再等几十年，大清帝国迫于形势，增派了常驻西方的使节，中外交通的风气大开，我们才从那些出洋的人们日记中发现了这个乐器的踪迹。

近代中国第一代职业外交官当中有个张德彝，1866 年他作为翻译官，随使臣出洋，途经上海，当时的上海已经是初具规模的十里洋场了。他在一个洋教习家看到："洋女拨弄洋琴。琴大如箱，音忽洪亮忽细小，参差错落，颇觉可听。"应该说他的反应相当灵敏。"音忽洪亮或细小"正是抓住了"轻重琴"（见前文）和西方音乐的特点，真是难得。但从这一记载中也足以证明，洋琴在当时人眼中和耳中仍然是一种罕见的新奇物事，所以才要"述奇""记异"。

在当时那一班派到泰西去的中朝使节当中，除了刘锡鸿之流庸陋守旧的官僚，也有些比较有见识的人。他们既对前所未见的事物开了眼，也向前所未闻之音开放了自己的一双耳朵。于是，在他们的出使见闻中，听钢琴弹奏的记述便多了起来。其中，相继出使的郭嵩焘和曾纪泽，日记中都留下了不少听琴的印象。这些都是西乐东渐史的好材料。

郭嵩焘记了他在一次跳舞会上听钢琴的印象："其音错落，异于前闻，盖高调也。"从这话里可知他听琴已不止一次，而且他是留心倾听，有感受也有比较的，并不像那种不学有术脑满肠肥者之或昏昏然入梦，或如东风之过马耳的！只可惜他所云的"盖高调也"不解何意，令人闷闷！

其后，有些要打倒他的人弹劾他有三罪。其中的一大罪竟然是：在"白金（汉）宫听音乐，屡取音乐（节目）单，仿效洋人所为"。（这倒又使我们觉得，"文革"中的许多荒谬之事并不奇怪,并非史无前例而是"日光之下无新事"了!)

至于曾国藩之子曾纪泽,他不但懂中乐,而且也颇通西方之乐。驻法之日,他曾在使馆中"试演洋乐"。在英国时他又记道:"听房东偨女二人奏乐极久,年方十三四,而指法精熟,盖西洋幼女肄业以弹琴为要务之一端,故多能者。"后来又记了"试学洋琴甚久""饭后学洋琴"等等。(均见其《出使英、法、俄国日记》第1197、217、422页)既然能评论洋人的弹奏,知其何以能熟练,又亲自试习,曾纪泽显然是一个西方音乐的爱好者,而不仅是个一般的西洋通。

郭嵩焘是在1876—1879年出使西方的。曾纪泽则从1878年起任使八年有半。当是时也,西方世界正是钢琴大普及之时,也是古典、浪漫主义钢琴音乐的盛世。遥想原先听惯了七弦琴、昆曲、皮簧的两位中华士大夫,当他们处处见到洋琴,听到洋洋盈耳的洋乐的时候,那种新奇感觉一定是很有趣也很复杂的吧。

还有一个叫李圭的人,在此际(1876)游历了北美新大陆,也留下他对这乐器的印象。此人前往费城,参观为庆祝美国建国百周年举办的万国博览会。在德国馆中见识了德国造的钢琴:

"大洋琴一座,高,方各二丈许(按,即便大型的柜形钢琴,也没有这样大的,疑有误,或为特制展品)。案面则有音律版(按,即琴键)排满其中。弦索由案底达室内。琴师坐而鼓之。大声铮铮然若金戈铁马，小声切切然若儿女私语，能使听者忘倦。每日必鼓数曲，合院数十国人皆赞叹不置。旁又有如长案半桌者多具（按指方形琴，可见这种琴在那时仍然流行）。琴师甚文雅。偕观之，特为圭再奏一曲。惜（余）非知音人，未免辜负美意耳。闻西国文士多工琴，而德人称最，故制琴之法亦最精。"

中国人眼中所见洋琴的外形与内中机件，他这一篇文字是记得最具体的。虽然他也只能是走马观花，却已经难为他了，他要看的西洋新奇货色实在太多了（李圭在浙海关做案牍十多年，当时赴美参观赛会，是税务司德璀琳推荐的。以上均据《环游地球新录》，据认为是现在见到的最早的一部中国人写的美国游记）。

从这时候直到清末民初这一段时期，可惜未见有谈到洋琴的文字。然而这也许是因为它已经更多地进入了中国，多见少怪了。

后来出家做了弘一法师的李叔同，据说是第一个把钢琴音乐介绍到中国的。他的琴艺是在东洋学的。学琴的情况，可惜未见到记述。从同他一起留东的欧阳予倩的回忆录中，也只能略知一二。欧阳说："他很爱弹钢琴，因为合奏的关系和那拉小提琴的广东人天天在一处，他有什么新曲，必定要那个广东先生听着给他批评，那个少年要什么他就给他。"

但从他亲属的回忆中可知，他早就在弹钢琴了。1905年，他生母在上海病故，他扶柩回天津老家为母开吊出殡。这场丧事极不平常，是他按西式做法办的。其中最值得注意的是，李叔同亲自弹奏钢琴，唱悼歌。那一架钢琴是一位意大利外交人员赠给他们家的。

他那浪漫而又执着的艺术生涯真有意思，遗憾的是，无从了解他最爱弹的是哪些乐曲，是否常为知心知乐的人演奏？

从他的学生丰子恺的回忆中，人们又看到一位严师的风度。他后来在浙江第一师范教音乐，正课有琴课，课余还做辅导。学生到他面前去"还琴课"都兢兢业业，既敬且畏，可见他对音乐艺术与教育是何等的严肃。

洋琴之普及应该是同学校之普及相联系的，大学、师范乃至中学校也有钢琴了。

就连小小的南通州城里，不仅状元府中早就买了这乐器（张謇家书中对"披霞娜运到后，安放何处"有关照），走过中学堂街的人，也听到从省立第一中学楼上传来锵然的琴声（很可能是那位梅庵琴派的古琴家徐立孙在弹它）。

京、津、沪、穗，还加上福州、厦门，这些地方自然是在引进洋琴上得风气之先的。出现了所谓琴行，有琴卖也有得租（租琴在西方早就有了，贝多芬曾想租一架琴）。末代皇帝溥仪还从北京的一家琴行里，请了个人到宫里来教他学弹这劳什子，伴读的皇弟溥杰又成了陪练者。

不是随口闲扯，洋琴可谓"三进宫"了：一进明宫，二进清宫。头两回来的是钢琴的先辈，其事前文已经表过。从时光距离看，其间正巧大约三百年，三回之间各相距百年或二百年。

小宣统乱弹琴，是因闷处深宫，闲极无聊。冯玉祥"逼宫"，他仓皇出走。民国政府派人去清理宫中文物，当时参与其事的俞平伯，在一篇《杂记储秀宫》中写到了钢琴，不多几笔而颇有实感：

"靠西壁上为风琴，下为钢琴。两琴上置曲谱甚多"，如"小曲工尺谱……亦有清宫固有乐章，杂乱无纪"。

这场面不但可以用来作半殖民地半封建社会的历史纪录片镜头，而且配音也是现成的：紫禁城的黄昏，飘来了洋琴上时行小调与清宫古老乐章的声音（很可能用的是"黎式弹琴法"）！

往昔在中华是不可能有什么"钢琴热"的，但需要钢琴的人的确在增加。用进口的击弦机等等零件组装起来的钢琴出现在市场上了。一般的都取个大音乐家的名字如海顿、莫扎特等做牌子。这类老牌子钢琴，据说是在小小作坊里由很少几个老师傅生产出来的，时至今日还常可碰到。旧虽旧，整旧如新之后，音质却颇胜于粗制滥造的新货色。

洋琴的普及，也是让一部分人"先用起来"。学钢琴成了大城市里某些高等华人家庭名媛的必修课，这也是"婢学夫人"，把西方的一套搬了过来。但即使是进了"音乐学校"专攻钢琴的女士，一出嫁当了太太，往往便把钢琴当摆设了。萧友梅对此只好叹气。

钢琴也吸引着更多的平民。情愿出高学费跟白俄、犹太音乐家学的人，日见其多了。租琴业之兴旺也可作为一证。买不起琴，出一笔并不太多的租金，便可以在亭子间里自弹自娱，而且还能供朋友来轮流共享。这对寒酸的学生是件好事。租琴的琴行，除了北京和沿海大城市，武汉也有。贺绿汀在武汉便租了一架琴用（直到"文革"前，上海还有琴可租。有一家罗办臣琴行还派人上门为租琴者免费调音）。

清末民初，废科举，办新学，像风琴一样，钢琴是中、小学校音乐教育的工具。然而比乐器更缺的是懂得正规弹奏法的人。于是流行起一种非正规的弹奏法。鼎鼎大名的中国流行歌曲始作俑者，《毛毛雨》《桃花江》《特别快车》的作曲者黎锦晖（他也写了《小小画家》《葡萄仙子》《可怜的秋香》等儿童音乐，他对中国儿童歌舞音乐与儿童歌舞剧的贡献，功不可没），自称此种风靡天下的弹奏法是他发明的。

这种"黎式"弹法，像简谱一样非常容易学。你用右手弹高音部的曲调，左手跟着曲调用八度音程弹旋律重拍上的那些音，轻拍上的音则可略而不弹。这弹法也就如同左手在为高音部上的曲调打拍子一般。掌握了它，随便拿起一首歌曲或小曲，都可如法炮制。在往昔的中、小学里，音乐老师上歌唱课，多半用此法来"伴奏"。弹得更熟练的，即兴加花，节奏

上来点变化，再加点和弦，那就更热闹花哨了。但在受过正规
弹法训练的人耳中，这却是不堪入耳。旧时代的歌舞明星王人
美在其回忆录《我的成名与不幸》中，对此有一段回忆，读了
令人喷饭。时在20世纪20年代，她在湖南家乡听到有此种新
式弹奏法，据说当时有位女钢琴家特地去看黎锦晖弹，笑得眼
泪汪汪地逃走了（王人美参加黎氏的明月歌舞团，成了"四大
天王"之一，那是后话了）。

　　洋琴在中国既曾为少数人所"雅化"，也曾被一些人庸
化。商业性广播电台用它伴唱无聊的小调，用"黎式"弹法而
任意加花，愈加俗不可耐。那时，酒吧、夜总会里，也有了
"洋琴鬼"。

　　"雅化"的钢琴，使爱好者高不可攀。如想自习，中文
资料又只有薄薄一本《洋琴弹奏法》，丰子恺编，开明书店
出的。

　　丰子恺又编了一部《洋琴名曲选》，一共二册。头一篇便
是经过他介绍而广为人知的贝多芬的《月光奏鸣曲》（但在此
集中，用的是正式曲题《婴 C 短调朔拿大》。今天对这些古怪
的名词得加注释："婴"即"升"，短调即小调，"朔拿大"乃
奏鸣曲之音译。都是借用日本的译名）。

　　这部曲集在当时是很珍贵的，它恐怕是中国人自己印的
（有可能是利用了日本出的《世界音乐全集》？）一部唯一的
钢琴名曲选吧。这也得感谢开明书店。至于老商务，早先只印

了一本《进行曲》，其中只收了些极其简单的小曲，只可供幼稚园（从前的幼儿园）上"唱游"课之用吧？商务、中华都不曾出过什么钢琴曲选。（除了商务后来出版的齐尔品的《五声音阶练习曲》。）

前文中已提到那本美国人维尔编的《钢琴名曲二百七十首》，在它本国，恐怕早已成了古董，翻印本却在 20 世纪三四十年代充斥于上海的琴行。南京路四大百货公司音乐部柜台上也堆着。可怪的是，20 世纪 80 年代的中国钢琴热又帮了它的忙，使它再次销行不衰。只要有钢琴的人家，琴上多半有这本内容庞杂、错误不少的谱子。维尔有知，也会喜出望外吧！

在旧中国的大、中城市中到底有多少钢琴，当然没有人统计过。但有一些情况说明，那不会是一个很小的数字。

1949 年后在福州，假如有哪个单位想买钢琴，愿意廉价出让的人家是很多的。一架七成新的"施特劳斯"之类，琴主讨价才一百二十万元（即一百二十元）。当时在弹丸之地的厦门鼓浪屿，几乎是数百米之内钢琴之声相闻。

"史无前例"一来，人与琴都遭了劫难。作敌性财产处理的钢琴，价钱贱得惊人。从后来的许多退赔纠葛中，也不难推想当年被掠去的钢琴数量之多了。

"人琴俱亡"，顾圣婴、傅雷两家的遭遇，恐不会是仅有的几例。

离奇的是还有奉旨弹琴（钢琴伴唱《红灯记》与《黄河》协奏曲）。这也救了钢琴一命，使其得免于绝种之灾。洋琴还不是那么可恶的。于是有的下乡知青竟能偷运去一架漏网之琴，大家在黄连树下弹弹《红灯记》。而"四凶"的老巢上海，收徒习琴也可恩准，只是不准多收。

那年月，除了奉旨的、御用的、偷偷摸摸弹的之外，一时琴声寂然。

待到苦熬过"文革"，先是一阵子小提琴热，然后"钢琴热"不期而然地来了！

仍以小地方南通为例，往昔听得到琴声的地方只有状元府、中学堂（还不是每个中学）、西方教会；后来，有琴的人家到底有多少无从估计。有两家还有琴一双。其中的一家，买两架琴是为了在小孩练习协奏曲时，老师弹协奏的部分。

从小城推想到大、中城市，从以往琴的难买，到后来的供过于求，私人授琴的束修也随之而涨，教得出成果的，其门如市，应接不暇，误人子弟者也乘此挂羊头卖狗肉，等等；都不难感觉到那个"热"的存在。

比这些数字更有"热"感的，是家长们那股不寻常的热劲。

有的家长把琴运到上海，临时借个地方，让孩子就近从师，每日苦练，最多达十余小时。有的家在郊县，也路远迢迢地按期赶到南通、南京、上海去上琴课。

许多琴童的父母，爷爷、奶奶，本人其实本不爱琴，甚至也不好乐，却又心甘情愿，累而无怨地陪学陪练，同放弃了童年欢乐的孩子一起受那份"罪"。

每逢音乐学校入学招生考试、考级，乃至这小地方的一场比赛或表演，场外的、台下的大人们，是如此紧张不宁，有的几乎手足发软，走也走不动了！

我曾大为兴奋，一是遥感到当年莫扎特、霍夫曼、梅纽因们的父母心，二是预想将来我们也将有可列于世界之林的钢琴名手，我们的霍夫曼、肯普夫，布伦德尔、里赫特……甚至有可能贡献一个李斯特或安东·鲁宾斯坦吗？

这也有一点亲身感受为证。这小地方已经拔尖而出两三个琴童，乐感之丰富异于常人。当我有幸听到这几个音乐灵童在一无拘束的环境气氛中弹奏莫扎特时，体验到一阵 Ecstasy（狂喜、极乐）。领略到：纯真的音乐由无邪的儿童来演绎，其中有成人难以达到的美的极致。

然而我所不解的是，除了那些搞专业的人，和为了学钢琴而进了音乐院校的学生以外，何以在青年人、成年人中几乎看不到，也没听说过有钢琴迷，像本书前文提到的那位"八十岁学吹鼓手"的美国老太太呢？

钢琴热是不是还只热在琴童父母身上？除了极少的琴童（此地便有）有点像前文中说的阿劳那样迷上了钢琴之外，为数甚多的，恐怕也不过像一个向霍夫曼提问题的美国少年承认的：我是奉命弹琴。

还有一层，钢琴文化是由乐而起，又归结到音乐。如以钢琴音乐而论，我们与其说有钢琴热，不如说是钢琴冷。

就此可以作一回顾。自从洋琴入华以来，虽然是在旧时代已逐渐地普及，但"洋嗓子"真正唱出中国人的声音，适合中国人的口味，却是很迟的事了。现在知道，第一首中国钢琴曲的作者，是赵元任，《教我如何不想他》的作曲者。他这篇钢琴曲，名为《和平进行曲》，发表在留美学生自己办的杂志《科学》上，时在 1914 年。

但真正洗尽洋腔，唱出中华本色的钢琴音乐，自然要从贺绿汀的《牧童短笛》算起。这一篇中国味钢琴曲的诞生，也是中西音乐文化交流史中的佳话，令人低徊不尽！

拜京剧专家齐如山为义父的俄国乐人齐尔品（切列普宁），是这批作品的催生者。在他的倡议下，上海国立音乐专科学校组织了"征求有中国风味钢琴作品"的作曲比赛，曲稿都像考试那样弥封起来，到了开评审会那天，由齐尔品启封试弹，一一写上评语。好奇心重的音专师生聚集在门口，等候结果。门一开，黄自出来，大家拥上去问，黄自说，头奖是贺绿汀。齐尔品对它的评语头两个词语是"Without doubt！"（意为无可置疑，编者按。）

一想到这首道地中国味的钢琴小品，已经被人们弹了听了大半个多世纪而仍清新如故，那么当年试奏之时，这种华化了的琴上新声，对于听惯西方音乐的耳朵会是何等惊人的新鲜!

除了《牧童短笛》《摇篮曲》分列一、二名之外，还有获奖的其他人，如老志诚等。遗憾的是，我至今未见其谱，未赏其音。

如果我们能听到几部像格里格《a小调钢琴协奏曲》那样的民族味浓而言浅意深的中国作品；如果能在更高的层次上使洋琴为我所用，让它奏响我们的"热情""暴风雨""华尔斯坦"；或者是有新意有新境界的《广陵散》《潇湘水云》等等，那么中国钢琴热才热得更有内容更有价值；今日之琴童，未来之霍洛维茨与阿劳们，将更能挟洋琴去征服全世界了!

附录一：文字资料与乐谱

很可惜，业余爱琴者可以阅读的中文资料未免太少了！

《钢琴基本弹奏法》，俄人雷文写的。中译者缪天瑞在译序中告诉读者：它"不是钢琴的初步练习书或教科书，它只是给初级与中级的钢琴学习者提示各种基本的问题，特别注意手脑并用，叫学习者知道怎样把音弹得美"。

这是一本很老的小册子，但的确又像译者讲的，是一本短小精悍的佳著。译笔是可信也可读的（很早有三民书局出版社版，后来有人民音乐出版社版）。

《钢琴演奏之道》，赵晓生著。这是一部写给有志于当钢琴家者研读的书，也是一部同从事钢琴专业者论道之书。但我辈乐迷却也很该读读。即使无意于到键盘上弹弄，它也会让你大长见识，而且激发你读乐的兴趣，虽然书中所讲的"以气为体""人琴合一"等妙道，可能令人望而生畏，望而生疑，以为是像作者的"太极作曲法"那样玄妙难解的，但书中有大量有用的、实在的音乐知识，耐心细读便知。（例如书中《琴艺篇》的"读谱"，《琴韵篇》谈各种音乐曲风格等节，都对我们倾听音乐作品大有用处。）由于作者自己既是作曲家又是演奏家，有亲知实践，又深思能文，不是"茶壶里下饺子"；因之这书并非如《罗序》中所担心的"把这本书从头至尾看完是一种定力持久的挑战"，而是相当引人入胜。哪怕只是浏览，我们也会对钢琴艺术之深不可测留下深刻印象。

《钢琴与钢琴音乐》。此为日本《最新钢琴讲座》中的第一册，台湾版中译本。译者邵义强。原书对象，自然也非一般爱好者，所以全书八册中有《钢琴技巧的一切》与名曲演奏诠释等题。这第一册的内容，很多也是适合爱好者一读的。其中关于钢琴历史、构造，特性与魅力、演奏技巧的变迁、钢琴音乐的传统等等方面的叙述，大陆音乐书籍中还看不到有如此详细的介绍。

《论钢琴演奏》。波兰钢琴家霍夫曼写的一本好书。原来是刊登于美国的杂志《妇女家庭》上的文章与问题解答，读者对象是年轻的钢琴学生。所以它虽然严肃而又讲得深入浅出，亲切自然。其中谈安东·鲁宾斯坦怎样教他弹琴，固然是珍贵的乐史，谈如何学会钢琴弹奏的艺术，而不是只练技巧，更是有说服力。关于技巧问题，也写得要言不烦，绝不枯燥。在"问题解答"部分中，有些孩子提的问题很天真，而大师的耐心回答也极富人情味。不论你弹不弹钢琴，只要对音乐感兴趣，那也无论如何应该读读此书（人民音乐出版社版）。

《钢琴制造》。1960年轻工业出版社版。当年只印了一千四百册。现在到大图书馆去怕也难找到了。在听说只要一百美元即可从边境上买到一台苏联造的钢琴这消息时，再读此书，感慨良多！这是一本苏联人编写的书，内容是专业性的制造学，比一般介绍钢琴这种乐器的书枯燥多了。然而近四百页的这本书仍值得那些爱琴又有好奇之心者浏览其中的某些部分。它会让读者更具体地感受到这乐器的创造、改进、完善，是何等来之不易！

关于钢琴音乐的中文资料，同样难找。比如要想多了解一点莫扎特的钢琴作品的情况，那就只有一本谈他的协奏曲的小册子（人民音乐出版社出版）。此外，只有他的通俗性传记，那里面有人有事，还有很多"文学"，无奈没有谈音乐！

关于肖邦的作品，有钱仁康教授的一本关于他的叙事曲的分析。此外好像就没什么可查的了。

德彪西的传记，即便是"文学性"的，也至今空白。倒有一本介绍其二十四首前奏曲的小册子，可惜此书的译文相当费解（也是人民音乐出版社版）。

幸好！关于贝多芬的资料多一些。有两本书都是专门介绍他的全部钢琴奏鸣曲的，一是苏联人写的，一为捷克人所著。前者是上海音乐出版社版，后者是人民音乐出版社版。

很值得一读的是收进人民音乐出版社版《贝多芬论》一

书中的好几篇文字：《贝多芬的三十二首钢琴奏鸣曲》（肯特纳）、《贝多芬钢琴奏鸣曲》（费舍尔）、《贝多芬——三种风格》（库珀）。

还有一篇文字：纽曼的《李斯特对贝多芬钢琴奏鸣曲的理解》，很值得读的，见于人民音乐出版社版《音乐译文》1980年第 6 期。可惜没有收入《贝多芬论》。

关于乐谱的资料，则可以说是比较丰富。

巴赫的《十二平均律钢琴曲集》不难买到，更不用说《创意曲集》之类大量印行的谱子了。

贝多芬的《三十二首钢琴奏鸣曲》，有两种版本可得，其一是人民音乐出版社版，另一种是影印的"内部交流"版。

肖邦全集也有两种，其中一种是波兰出版的。如只想读其夜曲，或圆舞曲等，也不难得到单行本。

德彪西的钢琴曲选，"文革"前即有人民音乐出版社版，"文革"后则有影印的苏联版。

舒伯特、舒曼、李斯特的钢琴曲选，门德尔松的《无词歌》，等等，都有人民音乐出版社版或影印本。

莫扎特的奏鸣曲集虽然有人民音乐出版社版，他的钢琴协奏曲却只有其中几首有影印本，是双钢琴谱；还有一种有乐队总谱的，虽然弹起来不大方便，对于酷嗜莫扎特钢琴协奏曲的爱好者却是宝贝。

管弦乐曲的钢琴改编谱也相当多。最重要的当然是贝多芬九部交响乐的钢琴独奏谱。莫扎特的几部最重要的交响乐，也有钢琴改编谱。

柴科夫斯基的原作改编谱有：《胡桃夹子》组曲、《天鹅湖》《罗密欧与朱丽叶》《里米尼的弗朗切斯卡》《曼弗雷德交响曲》都是苏联版的。

比才的歌剧《卡门》《阿莱城姑娘》，从前有苏联版的钢琴改编谱，现已不可再得了。

值得爱好者搜集的钢琴改编谱还有：舒伯特的《未完成交响曲》《C大调第八交响曲》。德沃夏克的《斯拉夫舞曲集》。

很遗憾的是，有些我们嗜爱的交响音乐，改编谱却无从觅得，《自新大陆交响曲》的袖珍总谱，1949年前夕便有万叶书店印的。1949年后我又买到了捷克版的。改编的钢琴谱却踏破芒鞋无觅处。偶然借到一期美国的老牌钢琴音乐杂志《练习曲》，其中却有慢板乐章的改编曲，不胜欣喜，赶紧抄了下来。

至于小品，除了维尔那本大杂烩式的曲集以外，可以从人民音乐出版社出版的《少年儿童外国钢琴曲选》和台湾出版的《钢琴百曲集》等谱集中去找。

附录二：一篇对本书的评论 [1]

《钢琴文化三百年》一书，内容涵盖极广，资料丰富，范围从钢琴的进化、其制造厂商、市场之评价，进而涉猎钢琴的技巧及其发展、钢琴教学、调音技术及作曲家风格特色之探讨等，每一项目皆极具专业性，可以另成单一主题，作更深入的探究。作者以漫谈钢琴文化方式，用轻松的文笔，广面的触角和探索，对于业余爱乐者颇值一读，为值得推荐的入门书籍，读者藉之可对钢琴音乐有全盘性的认识。

以下为笔者从专业音乐工作者的角度，对本书的一些看法及意见，仅供读者参考。

笔者认为书之主旨既是探讨西方音乐，理应将专有名词及术语的原文附上，如果是作品或音乐家，并应加上其所代表之年代。笔者发现大部分的大陆书籍皆有此弊病，是否为大陆的

---

1 本文系 1999 年台湾扬智文化事业股份有限公司出版本书台湾版（书名为《钢琴文化三百年》）所含的一篇评论。

文化习性，则不得而知。但作者于文中将译名直接以中文叙述，需知各国对音乐家和专业术语译名不一，若能将原文写出，不仅使读者省略猜测之苦，更方便读者作深入之研究，获得更多的资讯，增加其专业知识；再一方面，翻译有时无法完全表达原文的涵义，而原文附上，则可弥补此缺憾（笔者于看过原稿后做了若干补注）。

作者对于所有的资料来源，皆未注明其出处，文中多处引用他人之论点，也未用引号和注脚，从学术角度而言是不专业；而读者也无法从其引用处再深究更多的知识。全书的参考书目完全没列出，读者没有资料可循，此乃本书遗憾之处。

文中对作曲家风格的探讨，见解中肯也颇贴切，尤是引用中国的诗词书画以描绘或传达乐曲之意境或作曲家的风格特色，颇为传神，而藉由中国文化的精髓将西方音乐的精神烘托出来，颇具巧思，无形中将西方音乐融人中国文化中，值得一读。

笔者对书中易使读者思考偏差之处作一说明。例如于"钢琴技巧"一中，提及"好指"与"坏指"，文中对其定义和意暧昧不明，由于作者乃由原文照字面直译。"好指"与"坏指"原文为"Good finger""Bad finger"，笔者觉得译名不甚恰当，尤其作者言"好指弹好音，坏指弹坏音"，若非了解其意者，极易为文字所误导或困惑。其原文意应为强指（Good finger）与弱指（Bad finger）之分别，名称之由来乃依据手指的自然长度及力度而作的区分，因此，重要的音符通常由强指弹奏，藉由强指与弱指之分配，作曲家和演奏者得以充分表现其运句（Articulation）和乐句（Phrasing）的乐念，此早期的键盘技巧也是表现音乐层次变化的方法之一；而长指跨越短指的键盘技巧虽为巴洛克时期的特色之一，由于大键琴（辛按：即羽管键琴）的轻巧触键，已为触键较重的现代钢琴所取代，因此这套技巧已不适用于现代钢琴，但是自巴洛克时期之后，这种长指跨越短指的技巧仍为许多作曲家用之于技巧艰难的乐段，演奏家也用之达到特殊音乐效果，如圆滑奏（Legato）等，最著名的例子为肖邦所写的练习曲作品十之二（a 小调），因此这两种技巧仍是作曲家和演奏者所喜用的，只是弹奏的困难度增加，因而使用上有所考量和斟酌。本书作者有时以现代音乐的趋势作评断，忽略了这些特色在当时的意义及其历史价值，对于其后的存在与发展的价值也未着墨予以说明，作者既是以历史的角度漫谈钢琴文化，这方面的考量，笔者以为仍是必要的。

在踏板（Pedal）的介绍一章中，作者除提及一些专业名词外，对踏板之类别、功能之区分不够明确，而踏板的演进仅零星式地触及，缺乏连贯性的说明，读者较难有明确的图像。若能进而将作曲家的风格特色与踏板的密切关系作说明，则更可凸显踏板于不同时期与不同作曲家中所扮演的角色。作者于书中第六章"从手上功夫到脚下功夫"一节中，提到对贝多芬踏板的看法，其论点有待商榷。贝多芬所写的踏板记号较同期或之前的作曲家要详尽些，最重要的特色为使用长踏板，于贝多芬而言，是试图在钢琴上（早期的钢琴）弹奏出管弦乐的音响效果，若按照传统的方式以和声的变化为决定踏板的因素，则将效果全失，贝多芬的特殊强度的震撼性也会荡然无存，有某些部分的长踏板，由于现代钢琴的内部结构异于往日，以及踏板的不同，因此所需的音响要在踏板的长度和深浅度上再作思考和判断，作者仅以数语言之，无客观而明确的叙述。

作者以较多的篇幅介绍和说明古乐器的内部构造和其机械原理，对缺失也叙述极多，却忽略此乐器的特殊性以及时代意义。作曲家的作曲风格，与当时的乐器是息息相关的，以乐器的性能考量为依归，而可展现其特点，将作曲家的音乐作完美的呈现。而巴洛克时期的音乐风尚，如种类繁多的华丽装饰音（Ornamentation）、展现演奏家技巧的大量即兴乐段等，清晰的音色和线条，和高品味的弹奏，乃当时所追求的境界，若以现代钢琴易之，虽能弥补当时乐器性能不足之处，但古乐器的特殊风味则尽失，因此，近代音乐学者穷其心力，意图将其间之差距拉近，此研究引发了另一专业课题的探讨，即所谓的"记谱与实际演奏"的专题（Performance practice）。

以上仅就专业的角度，笔者提出个人的浅见予读者作参考，或有助于读者对古典音乐更深层的认识和启发，这也是笔者希望藉本书的出版和拙文的回应所欲达到的目标。

台湾师范大学音乐系副教授　赖丽君

图书在版编目（CIP）数据

乱谈琴 / 辛丰年著；严锋编. –上海：上海音乐出版社，2023.8
（辛丰年文集：卷六）
ISBN 978-7-5523-2655-0

Ⅰ. 乱…　Ⅱ. ①辛…　②严…　Ⅲ.钢琴–音乐文化–文化史–世界
Ⅳ. J624.19

中国国家版本馆 CIP 数据核字（2023）第 124525 号

书　　　名：乱谈琴
著　　　者：辛丰年
编　　　者：严　锋

版权代理：学人文文化
责任编辑：萧　潇　吴昕雨
责任校对：顾韫玉
封面设计：金　泉

出版：上海世纪出版集团　上海市闵行区号景路 159 弄　201101
　　　上海音乐出版社　上海市闵行区号景路 159 弄 A 座 6F　201101
网址：www.ewen.co
　　　www.smph.cn
发行：上海音乐出版社
印订：上海雅昌艺术印刷有限公司
开本：889×1194　1/32　印张：5.125　插页：3　字数：94 千字
2023 年 8 月第 1 版　2023 年 8 月第 1 次印刷
ISBN 978-7-5523-2655-0/J · 2458
定价：49.00 元

读者服务热线：(021) 53201888　印装质量热线：(021) 64310542
反盗版热线：(021) 64734302　(021) 53203663
郑重声明：版权所有 翻印必究